Découvrez votre mission personnelle par les signes de jour et les rêves de nuit

Données de catalogage avant publication (Canada)

Gratton, Nicole, 1951-

Découvrez votre mission personnelle: par les signes de jour et les rêves de nuit

(Collection Vos richesses intérieures)

Comprend des références bibliographiques

ISBN 2-89225-391-8

1. Potentiel humain (Psychologie). 2. Autodéveloppement. 3. Rêves – Interprétation. 4. Changement (Psychologie). 5. But (Psychologie). I. Titre. II. Collection.

BF637.H85G72 1999 158.1 C99-941413-5

Les éditions Un monde différent ltée, 1999
Dépôts légaux: 3e trimestre 1999
Bibliothèque nationale du Québec
Bibliothèque nationale du Canada
Bibliothèque nationale de France

Conception graphique de la couverture:
SERGE HUDON

Photocomposition et mise en pages:
COMPOSITION MONIKA, QUÉBEC

ISBN 2-89225-391-8

Nous reconnaissons l'aide financière du gouvernement du Canada par l'entremise du Programme d'Aide au Développement de l'Industrie de l'Édition pour nos activités d'édition (PADIÉ) ainsi que le gouvernement du Québec grâce au ministère de la Culture et des Communications (SODEC).

IMPRIMÉ AU CANADA

Nicole Gratton

Découvrez votre mission personnelle par les signes de jour et les rêves de nuit

Les éditions Un monde différent ltée
3925, Grande-Allée
Saint-Hubert (Québec), Canada
Tél.: (450) 656-2660
Site web: http://www.umd.ca
Courriel: info@umd.ca

À l'Esprit qui me guide
et me permet de le servir
dans la joie, l'amour et
l'harmonie

Remerciements

Je remercie Michel Ferron d'avoir cru en ce projet.

Je remercie Marc-André Poissant (Marc Fisher) de m'avoir enseigné la persévérance.

Je remercie mes amies Denyse Roy-Pelletier, Denise Cardinal, Jocelyne Giroux, Marie-Josée Tardif, Monique Gagnon, Monique Provost, Marie-Lou et tous ceux et celles qui occupent une place importante dans mon cœur.

Parmi les nombreuses personnes qui m'inspirent dans leur façon d'accomplir leur mission personnelle, il y a Annie Laforest, Michèle Cyr et Lise Cardinal pour n'en nommer que quelques-unes.

J'exprime toute ma gratitude aux participantes et aux participants de l'atelier *Rêve et Carrière*. Ensemble, nous avons exploré les multiples facettes de la mission personnelle et ces rencontres m'ont permis de solidifier davantage ma raison d'être.

En terminant, je tiens à souligner le travail extraordinaire que l'Association pour l'étude des rêves (ASD) réalise dans le but d'informer le public des recherches actuelles. Merci à Patricia Garfield, Alan Siegel, Kelly Bulkeley, Richard Wilkerson, Rita Dwyer, Monique Lortie-Lussier, Tore Nielson, Philip King, Robert Moss, et tous les autres qui se dévouent entièrement à la nouvelle culture du rêve. J'exprime toute ma gratitude à Craig Webb de m'avoir guidée vers ces gens inspirants.

De la même auteure

Les Rêves, messagers de la nuit, Les Éditions de l'Homme, 1998

Mon journal de rêves, Les Éditions de l'Homme, 1999

L'Art de rêver, Les Éditions J'ai lu, 1999
Les Éditions internationales Alain Stanké, 1994

Les Rêves spirituels, Les Éditions internationales Alain Stanké, 1996

Les Rêves érotiques, Les Éditions internationales Alain Stanké, 1997

Rêves et Complices, Les Éditions Coffragants, 1996

Table des matières

TROISIÈME PARTIE:

LA SOLIDIFICATION

Introduction

La vie est précieuse!

Malgré les embûches occasionnelles, les moments difficiles et les détours pénibles, nous ressentons parfois la joie intense d'être vivant tout simplement, sans raison précise. Ce sentiment jaillit spontanément quand nous savons intuitivement être au bon endroit, au bon moment. Ces bonheurs fugitifs nous font apprécier la vie. Est-il possible de vivre plus souvent et plus longtemps ces moments heureux? Oui, en donnant un sens à sa vie, en vivant sa raison d'être et en accomplissant sa mission personnelle.

Mais encore faut-il savoir ce qu'est une mission personnelle? Faut-il être célèbre ou puissant pour jouer un rôle important dans la vie? Faut-il posséder une richesse colossale et être doté d'une intelligence supérieure pour apporter sa contribution à la société? Faut-il être connu et renommé pour faire une différence et se démarquer des autres dans la vie de sa communauté? Pas du tout. Il suffit tout simplement d'être soi-même, d'oser exprimer ses talents et de les mettre au service des autres.

Quand notre vie a un sens et se déroule selon un plan harmonieux, nous ressentons le plaisir d'exister. Et on peut accomplir bien davantage dans plusieurs secteurs de sa vie personnelle ou professionnelle en se fixant des buts précis. Nous expérimentons alors la joie de collaborer au bien-être de ceux qui nous entourent. Les mots clés pour y parvenir sont: talent, passion et contribution.

En fait, une mission personnelle s'énonce à partir du questionnement suivant: «*Comment puis-je mettre mes talents au service de l'humanité et contribuer à l'amélioration de la vie autour de moi?*» L'énoncé semble fort simple mais la réponse peut parfois devenir une véritable énigme. Comment la résoudre?

Pour ce faire, des pistes vous seront proposées tout au long des chapitres pour vous aider à identifier, à vérifier et à solidifier votre mission personnelle. De plus, une enquête sur vos talents, une réflexion sur vos passions et l'élaboration d'un plan d'action vous guideront vers des avenues possibles.

La vie est précieuse car elle nous offre constamment des occasions de croissance dans le but de nous faire découvrir notre potentiel illimité et notre pouvoir d'amour. Les talents naturels combinés aux habiletés acquises font partie de notre bagage. En les exploitant et en les partageant avec nos partenaires: en famille, en affaires ou en amour, nous générons un flot d'énergie qui nourrit sans cesse notre créativité. Chacun naît avec son plan de vie et ses moyens personnels pour le réaliser.

À qui s'adresse ce livre? À tous ceux qui se questionnent sur le but de la vie et leur choix de carrière, aux personnes qui sont à la croisée des chemins au niveau personnel ou professionnel, à ceux qui veulent connaître leur raison d'être et aux gens qui désirent changer un ou plusieurs aspects de leur vie.

Qu'il s'agisse d'une insatisfaction temporaire, d'un malaise profond ou d'une souffrance devenue insoutenable, le déclencheur du changement est souvent une douleur qui se manifeste physiquement, émotivement ou mentalement afin de permettre d'explorer plus à fond le vrai sens de la vie. Une prise de conscience faite à temps permet d'éviter de sombrer dans la dépression ou d'être victime d'un burn-out.

La vie est généreuse en signes avant-coureurs pour prévenir d'un éloignement du plan de vie initial choisi afin d'accomplir sa mission personnelle. En effet, nous pouvons identifier et détecter les fausses routes et les détours inutiles par des signes de jour ou des rêves de nuit. Il suffit d'être vigilant.

On peut accomplir sa mission personnelle à court terme ou à long terme. Elle occupe alors une portion limitée de nos activités quotidiennes ou la plus grande partie de notre temps. Au travail, dans les loisirs ou à la maison, notre raison d'être, unique ou multiple, s'exprime silencieusement ou ouvertement. Lorsqu'elle est unique, elle épouse habituellement la vocation de l'individu. Les rôles de parent, d'éducateur, de créateur ou de travailleur en sont des exemples. Lorsqu'elle est multiple, notre mission personnelle touche différents aspects qui gravitent autour de nos habiletés individuelles.

À titre d'exemple, une mère de famille engagée à plein temps dans l'éducation de ses enfants peut aussi exercer à l'occasion ses talents de chanteuse en les mettant au service de la chorale de sa communauté, en plus d'avoir des aptitudes pour la décoration intérieure et de proposer des suggestions judicieuses aux amis qui sollicitent ses conseils.

L'élaboration d'une raison d'être à l'enfance

Des intuitions se présentent à nous et des *flashs* surgissent pour semer des graines qui germeront plus tard. Pour une bonne partie de la population, les semences atteignent leur maturité vers l'âge de 40 ans. Les expériences antérieures offrent alors une base solide pour élaborer sa mission personnelle et pour lui permettre de se déployer dans toute sa force et sa grandeur.

Cette impression de renouveau apparaît souvent vers la quarantaine et génère un sentiment d'enthousiasme vis-à-vis l'avenir. Une flamme se rallume et nourrit le cœur qui aspire à des changements stimulants. La diminution de cette flamme intérieure sera un point de repère lors des moments d'égarement et d'oubli qui risquent de se manifester en cours de route.

Partir à la découverte de sa mission personnelle est une aventure enrichissante pleine de rebondissements inattendus et de surprises excitantes. La vie devient ainsi un terrain d'expérimentation où chacun déploie ses habiletés, découvre ses talents et développe ses dons dans différents domaines de sa vie. Et dans cette optique, ce livre propose justement des moyens d'identifier, de vérifier et de solidifier votre mission personnelle.

PREMIÈRE PARTIE

L'IDENTIFICATION

Nous pouvons identifier notre mission personnelle en observant les signes de jour et en captant les informations de la nuit.

Chapitre 1

Faire son bilan actuel

Aussitôt que nous avons quelque chose à accomplir, déjà le quotidien devient plus palpitant. Cet accomplissement donne un sens à notre vie à court terme ou à long terme et nous aligne sur notre mission personnelle.

Chacun est doté d'une mission dans la vie. Chacun peut apporter sa contribution, aussi petite ou grande soit-elle, aussi modeste ou grandiose, aussi simple ou complexe, mais pourtant toujours importante. Que ce soit pour soutenir une personne seule, pour encourager un conjoint, ou auprès d'un groupe pour assister des collaborateurs, ou encore dans une communauté afin de participer à un projet collectif, chacun de nous peut trouver une ou plusieurs raisons d'être.

L'âme que nous sommes, incarnée dans un corps physique, s'est choisi un plan de vie afin d'accomplir sa destinée. Avant chaque incarnation et selon le degré de maturité et de sagesse atteint grâce aux expériences antérieures, des choix nous sont proposés. Une jeune âme ayant peu d'expérience peut se faire guider vers des possibilités adaptées à son manque de maturité. Un être plus sage, ayant acquis certaines connaissances des lois universelles, peut choisir lui-même son option de vie.[1]

---

1. Michael Newton. *Un autre corps pour mon âme*, Montréal, Les Éditions de l'Homme, 1996, 302 pages.

Ainsi, tout en venant poursuivre son développement personnel, l'âme incarnée accepte une mission personnelle. Le rôle assigné à chaque âme se joint à la loi de cause et effet, qu'on appelle *karma*, afin de favoriser les circonstances idéales à son épanouissement.

En effet, la trame karmique est dépendante du principe de juste rétribution. Cette loi universelle stipule que chacun récolte maintenant ce qu'il a semé par le passé. Chaque action génère une réaction qui revient à l'expéditeur. Ainsi, tout en recevant dans le présent les effets des causes anciennes, nous avons aussi la liberté de semer maintenant des graines qui créeront les récoltes du futur. La loi du karma est une loi éducative qui favorise la responsabilisation. Nous recevons aujourd'hui les fruits de nos actions d'hier, et nous sommes les seuls responsables de ces semences. La vie se charge d'ailleurs de nous l'enseigner tout au long de nos précieuses expériences, qu'elles soient agréables ou douloureuses.

En outre, l'accomplissement de notre mission personnelle permet de rendre notre séjour sur terre plus heureux tout en étant utile. Ce bonheur est attribuable à notre plan de vie qui se construit à partir de nos talents, de nos goûts et de nos préférences individuelles. En venant équilibrer nos dettes karmiques, nous en profitons pour mettre à contribution nos dons actuels et notre potentiel créatif.

C'est en trouvant notre raison d'être que nous accédons à notre vrai pouvoir et devenons la «cause». Ceci éveille une joie intérieure qui nous propulse dans l'action. Par contre, en ignorant le but de notre existence ici-bas, nous risquons d'être impuissants et nous devenons l'«effet». Cela crée un malaise plus ou moins grand selon chaque individu. Être la «cause» implique faire des choix et les assumer, alors qu'être l'«effet» provoque un sentiment d'impuissance.

Dans notre conscience humaine nous pouvons parfois avoir l'impression d'être davantage l'effet des circonstances extérieures que la cause d'un choix intérieur. Lorsque tout semble difficile, nous nous sentons victimes de situations incontrôlables. Pourtant, les grands sages de toutes les époques nous enseignent que nous sommes les créateurs de notre destinée. Chaque pensée, chaque parole et chaque action provoque une réaction dont nous devons assumer les conséquences. Petit à petit, nous en prenons conscience et l'expérience nous dirige vers un degré de sagesse de plus en plus grand. Nous créons les circonstances qui nous conduisent vers nos buts spirituels.

De plus, une petite voix intérieure appelée l'intuition, nous guide pas à pas vers la réalisation de nos objectifs individuels. En passant par les conquêtes matérielles, les victoires émotionnelles et les succès intellectuels, l'intuition nous ramène sans cesse à l'essentiel: se connaître d'abord pour reconnaître ensuite notre potentiel illimité et le mettre au service des autres. Chaque expérience nous laisse avec des perles de sagesse sur l'âme et une plus grande capacité d'aimer dans le cœur. Il suffit tout simplement de reconnaître les précieuses leçons qui nous conduisent peu à peu vers un épanouissement croissant et une meilleure maîtrise de notre vie.

Sommes-nous davantage les victimes des circonstances extérieures que les créateurs de notre destinée? La vie nous rend-elle plutôt esclaves que maîtres? Subissons-nous les événements avec un sentiment d'impuissance ou tentons-nous de les améliorer avec un sensation de pouvoir? Pourquoi certaines personnes semblent-elles débordantes de vitalité et de créativité malgré les aléas du quotidien alors que d'autres s'enlisent dans une profonde dépression lors de situations similaires?

Le quotidien nous impose parfois des réalités difficiles dont nous devenons l'effet si nous ne réagissons pas avec l'attitude adéquate. Prenons l'exemple de deux personnes qui ont perdu leur emploi suite à une restructuration de l'entreprise pour laquelle elles travaillaient. Même si les deux employés vivent la même situation pénible, chacun réagit selon sa perception de la réalité.

Le premier, de nature plus pessimiste, est totalement anéanti par la nouvelle. Il éprouve du découragement devant cette réalité catastrophique. Il se sent victime d'une mauvaise gestion d'entreprise et son impuissance provoque une grande colère intérieure. Il la nourrit par du ressentiment envers son employeur et cela l'empêche de voir des solutions de rechange futures à ce malheur présent.

D'un autre côté, son compagnon de travail au tempérament plus positif prend conscience qu'il ne peut changer cette réalité pénible et incontournable. Il réalise cependant qu'il a la possibilité de gérer sa détresse temporaire. En fait, puisqu'il ne peut rien changer à la situation dont il n'a pas le contrôle, et qui est complètement indépendante de sa volonté, il tente d'y voir une occasion d'aller vers du nouveau car il constate ne pas être heureux dans ce travail.

Tout bien considéré, dès le départ, c'est la sécurité financière qui le retenait là malgré l'ennui qu'il éprouve à vivre dans cet environnement. Il est confiant en l'avenir car sa mère lui a souvent répété que *«tout ce qui nous arrive est pour le mieux»*. Cette croyance qu'il a acceptée toute sa vie durant, le sauve du découragement et génère un sentiment d'espoir. Il sent qu'il a la possibilité de créer maintenant de nouvelles conditions pour bonifier sa vie. Il ne sait pas encore comment, mais il a foi en sa bonne étoile. Après un temps de réflexion, il commence à prendre des mesures et à agir pour améliorer son sort.

En règle générale, l'attitude de la moyenne des gens se situe entre ces deux extrêmes. Lors de situations dérangeantes et inattendues, mi-victimes ou mi-créateurs, nous expérimentons de la colère jumelée à un brin d'espoir, le tout enrobé d'une frustration temporaire.

Nous pouvons évaluer nos attitudes par rapport à la vie et ses surprises, bonnes ou mauvaises, en observant nos réactions dans le quotidien. Sommes-nous l'effet ou la cause? Devons-nous réagir sans choisir ou pouvons-nous agir avec la capacité d'adopter une attitude qui allégera l'expérience difficile? Tantôt pessimiste et victime, tantôt confiant et créateur, nous voguons entre ces deux tendances inhérentes à notre personnalité. Deux forces antagonistes sont en jeu: celle de la conscience humaine qui est vulnérable et celle de la conscience divine qui est invincible.

Dans notre conscience humaine, la partie qui réagit, nous sommes l'effet des circonstances, des autres et de la vie en général. Dans notre conscience divine, la partie qui agit, nous sommes créateurs des événements, des attitudes et des choix qui se présentent à nous. La conscience humaine est limitée et soumise aux conditionnements extérieurs, dont l'éducation familiale et l'influence sociale. La conscience spirituelle est illimitée et dépend des prises de conscience quotidiennes. Selon notre culture, nos croyances et notre capacité d'écoute intérieure, nous sommes plus ou moins cause ou effet, créateurs ou victimes.

En devenant davantage des créateurs d'événements et non des victimes des circonstances, nous expérimentons la joie d'exister. Afin d'évaluer notre accessibilité au bonheur, nous pouvons nous poser les questions suivantes : *«La vie est-elle une poursuite sans fin de besoins dont la satisfaction totale n'apparaît jamais: je serai heureux quand j'aurai telle promotion... je serai bien dans ma peau avec tel poids... je serai comblé lorsque je serai établi à mon compte...»*? Il nous semble parfois que le bonheur est inatteignable. Un désir comblé en attire un autre toujours plus grand. Un objectif réussi en amène un suivant plus important, un défi relevé en provoque un autre plus audacieux. Est-il possible de désamorcer cette réaction en chaîne de désirs inassouvis?

Certes nous le pouvons en découvrant un autre niveau de réalisation, en constatant que les plaisirs éphémères des désirs comblés font place peu à peu aux joies plus permanentes du sentiment d'accomplissement. *«Est-ce que mes actions aujourd'hui ont apporté un changement autour de moi?»* À certains moments ce sont des petits gestes qui passent inaperçus et à d'autres, nous accomplissons de grandes actions qui influencent plus ouvertement notre entourage. Un sourire gratuit, une parole encourageante, une accolade chaleureuse semblent minimes et pourtant ils sont précieux. Ils laissent une empreinte déterminante sur la personne qui les reçoit.

Accomplir sa mission personnelle, c'est comme donner un coup de pouce à l'Univers dans son processus d'évolution. En aimant ce que nous faisons, au travail, dans les loisirs ou dans nos responsabilités familiales, nous contribuons à l'amélioration de ce qui nous entoure. Dans le conte de Jean Giono: *«L'Homme qui plantait des arbres»*, nous constatons à quel point la contribution d'un homme solitaire peut transformer une région désertique et inhabitée en un lieu accueillant et fertile. Par le simple geste de déposer dans le sol aride dix glands par jour, le personnage donne naissance à une forêt qui protège et améliore la vie de centaines de personnes.

Nous vivons à une époque où les changements professionnels sont fréquents. Certains sont planifiés par des départs volontaires et d'autres sont imposés par des contraintes budgétaires et des postes abolis. Les circonstances nous projettent alors dans un inconnu plus ou moins souhaité. Deux possibilités s'offrent alors à nous: la victime en nous subit ce changement ou le créateur qui s'éveille en profite pour explorer de nouvelles avenues prometteuses.

Pour certains, l'inconfort se vit dans le maintien du *statu quo*. Le milieu de travail est soit pénible et abrutissant, car il n'est pas à la hauteur de leurs habiletés ou de leurs compétences. Pour d'autres, l'environnement est difficile et lassant à cause des conflits et des problèmes internes. Ce contexte les place tous devant des choix importants: subir ou agir.

En maintenant une attitude passive, certaines personnes doivent endurer une situation désagréable qui ne correspond plus à leurs attentes actuelles. Tout le monde a cependant la possibilité de prendre des mesures, d'agir et d'oser vivre l'inconnu avec la possibilité de connaître de grandes joies et de nombreuses satisfactions. Les choix se présentent ainsi: opter pour la sécurité du connu et être certain de s'ennuyer ou bien oser l'incertitude et s'aventurer vers un plus grand bonheur.

En prenant conscience que nous avons tous une mission individuelle, nous pouvons orienter nos énergies vers sa découverte et son accomplissement. Vivre sa mission personnelle signifie être heureux ici et maintenant tout en ayant la joie d'assumer les nombreuses responsabilités que la vie nous offre pour mieux se connaître et grandir en conscience. Nous sentons l'importance de notre contribution à l'humanité à travers un simple geste de soutien, une infime parole d'espoir ou une délicate pensée de confiance.

Par la suite, ces petites initiatives risquent de provoquer une étincelle de joie qui allume un feu de passion. Le plaisir que j'avais de travailler avec mes rêves, de les écrire, les relire et de les comprendre, s'est transformé avec le temps en passion de partager mon expérience par des livres, des conférences et des ateliers. En redonnant au rêve sa place d'honneur dans la vie de chacun, je ressens aujourd'hui la joie de contribuer au mieux-être des autres.

Trouver sa mission personnelle est une démarche solitaire qui se poursuit en exerçant un impact sur la collectivité. Lorsque nous sommes malheureux dans nos expériences quotidiennes, les autres en subissent les conséquences. L'atmosphère est tendue, la communication difficile et les échanges douloureux. Par contre, en étant heureux nous inspirons et nous stimulons nos amis, nos parents et nos collègues. Notre bonne humeur crée un effet boomerang qui nous exalte par la suite dans nos actions et nos états d'être.

Pour évaluer son positionnement par rapport à sa mission, nous pouvons mesurer notre degré de satisfaction au quotidien.

Le degré de satisfaction

La question suivante nous permet d'établir un niveau d'appréciation:

> *«Si aujourd'hui je possédais tout l'argent dont j'ai besoin pour subvenir à mes besoins, est-ce que je continuerais à faire ce que je fais maintenant?»*

Si la réponse est *oui*, nous pouvons affirmer que nous sommes dans notre mission de vie et que tout va pour le mieux. Malgré les erreurs de parcours occasionnelles et les embûches inévitables du quotidien, nous avançons sur la voie de l'accomplissement. Nous respectons notre plan de vie et cela nous comble totalement.

Si la réponse est *non*, trois causes peuvent être identifiées. La première provient parfois d'un manque d'information: *«Je ne savais pas qu'on peut être heureux dans son travail.»* Pour certains, le travail n'est qu'un gagne-pain dans lequel il est normal de s'ennuyer, de peiner ou de rager. Cette réalité devient alors acceptable comme pour la personne qui marche avec un caillou dans sa chaussure et endure le malaise croyant que la chaussure est ainsi fabriquée.

La deuxième possibilité d'une réponse négative est la conséquence d'un délai dans le temps: *«Je connais ma mission et je vais l'accomplir un jour.»* Ce n'est qu'une question de temps. Les circonstances vont se mettre en place et l'heure de l'action approche.

De jour comme de nuit, nous pouvons déceler des indices pour nous guider. La certitude intérieure et les rêves d'espoir nous donnent alors la force de patienter.

La peur ou l'inaction peuvent parfois amener une réponse du genre: *«Je connais ma mission mais je n'ai pas le temps, l'argent ou les capacités pour l'accomplir.»* Ces obstacles ne sont parfois que des prétextes pour éviter les changements nécessaires à la réalisation de sa mission. Dans ces conditions, un malaise intérieur persistant jumelé à des rêves d'avertissements seront significatifs. Il est alors nécessaire de désamorcer la passivité qui sabote notre pouvoir d'action. Des rêves de prévention nous mettent alors en garde contre les conséquences néfastes de remettre à plus tard les gestes à poser dans l'immédiat.

La troisième cause d'une réponse négative est le résultat d'une prise de conscience: *«Je n'ai pas encore trouvé ma mission.»* Des signes de jour et des rêves informatifs permettront alors de dénicher des pistes qui mèneront à notre vocation et dévoileront notre plan de vie. L'espoir et la persévérance sont alors nécessaires pour entreprendre cette quête précieuse.

Afin de mieux évaluer votre degré de satisfaction dans différents secteurs de votre vie, voici un tableau qui permet d'identifier dans quelles dimensions de votre vie vous ressentez des manques.

DIMENSIONS		**SATISFACTION**		
		BEAUCOUP	**MOYEN**	**PEU**
Physique:	santé, vitalité			
	niveau matériel			
Émotionnelle:	vie amoureuse			
	vie sociale			
Professionnelle:	travail technique			
	travail créatif			
Spirituelle:	paix intérieure			
	intuition			
Autres:	sports			
	arts			

Si le nombre de BEAUCOUP est le plus élevé, dans l'ensemble vous menez une vie satisfaisante et votre mission personnelle s'insère probablement dans vos actions quotidiennes. Même si certains secteurs exigent une amélioration, vous ressentez suffisamment de joie pour sourire à la vie.

Si le nombre de MOYEN est le plus nombreux, une certaine insatisfaction règne sans toutefois créer un malaise profond. Vous vous contentez de ce que vous avez sans déborder d'enthousiasme. Il serait souhaitable d'apporter certains changements pour vivre plus intensément votre quotidien.

Par contre, si le nombre de PEU domine, vous avez avantage à faire des prises de conscience et à effectuer un certain travail sur vous-même. L'insatisfaction mine votre énergie et exige des compensations qui parfois nuisent à l'action juste. Des modifications s'imposent pour accéder à une vie plus heureuse.

Avant d'entreprendre les changements voulus, voici une liste de saboteurs qui sont susceptibles de nuire au bonheur.

Identifier les saboteurs

Même si nous avons tendance à rendre les autres responsables de nos insatisfactions, il est bon de trouver cette cause qui provient parfois de nos attitudes erronées. Ces comportements, trop souvent inconscients, sont des saboteurs du bonheur. En voici quelques-uns :

- Les fausses croyances en provenance de notre éducation qui empêchent une vision juste de la vie :
  - de jour : *Je suis né pour un petit pain.*
Il faut travailler dur pour avoir des résultats.
On ne peut pas gagner sa vie en aimant son travail.
C'est normal de souffrir.
  - de nuit : *Je rêve le contraire de ce qui va arriver.*
Les rêves sont inutiles.
Mes rêves troublent mon sommeil.
- Les pensées destructrices issues de notre conditionnement qui anéantissent nos chances de succès font partie des saboteurs :

– de jour: *Je ne suis pas capable.*
Je n'y arriverai jamais.

– de nuit: *Je ne rêve pas.*
Rêver c'est épuisant.

- Le dénigrement qui empoisonne nos émotions et anéantit évidemment nos forces:

– de jour: *Je suis bon à rien.*
C'est trop beau pour être vrai.

– de nuit: *Mes rêves sont ridicules.*
Je ne comprends rien à toutes ces images.

Sans oublier aussi les peurs qui détournent notre attention de l'action, les dépendances qui nous font sentir esclaves, et le désespoir qui nous rend impuissants. En détectant les saboteurs du bonheur comme certains clichés négatifs, nous pouvons amorcer un travail de nettoyage qui dépollue notre mental.

Nous pouvons recourir à de nombreux outils appropriés à nos goûts personnels pour entreprendre ce travail. Il suffit de sélectionner ceux qui nous conviennent et de les appliquer dans notre quotidien.

Voici un exemple de rêve qui m'a aidé à me relever d'un sabotage externe. La veille, une personne avait émis des commentaires plutôt destructeurs sur un projet que je lui avais raconté. Malgré la pertinence de ses conseils, le ton m'avait beaucoup affecté. Une pensée farfelue mais teintée d'amertume avait d'ailleurs traversé mon esprit durant l'écoute des reproches successifs: *il ne me reste plus qu'à me suicider après de tels commentaires.* La nuit suivante, pour neutraliser ce sentiment d'échec, j'ai fait un postulat de rêve avant de m'endormir: *«Cette nuit, je vais reprendre confiance en moi pour mon projet.»*

La tentative de suicide

Une jeune femme découragée décide de se suicider en se jetant du haut d'un pont. Un homme arrive juste à temps pour l'en empêcher. Le sauveur la ramène chez elle. Je suis près d'elle et elle me confie qu'elle voulait mourir parce que sa mère l'oblige à étudier les arts alors que ce sont les mathématiques qui l'intéressent. Elle me demande s'il y a de l'avenir dans ce domaine. Je consulte le sauveur qui est resté près de nous. Il répond par l'affirmative et rajoute qu'elle doit faire ce qu'elle aime. Moi aussi je le pense. Elle est réconfortée. Je la serre dans mes bras.

Sentiments finals: espoir et confiance

Au réveil, je fais le lien avec mon désarroi de la veille: *je sais que mon guide du rêve a sauvé la partie désespérée en moi. L'âme que je suis a réconforté la partie blessée. Elle a de plus approuvé l'orientation qui vient du cœur: faire ce qu'on aime.* J'ai alors retrouvé tout l'enthousiasme dont j'avais besoin pour poursuivre et travailler sur mon projet tout en effectuant les nombreuses améliorations nécessaires.

Découvrir ses collaborateurs

Pour neutraliser les saboteurs du bonheur, nous pouvons nous associer à certains collaborateurs. Parmi ceux qui contribuent à appuyer le travail sur soi-même, on retrouve les affirmations, la visualisation et la méditation.

En effet, les affirmations quotidiennes répétées à certains moments de la journée – le matin ou le soir par exemple – tracent de nouveaux sillons dans le mental et influencent le subconscient qui, à son tour, répond à ces pensées. Il suffit de choisir un énoncé affirmant un état d'être. En voici quelques-uns:

Je suis calme et sereine.
Je vis cette journée avec joie et harmonie.
Je suis comblée dans ma vie professionnelle.
J'attire à moi les bonnes personnes pour m'aider à accomplir ma mission.
Mes rêves sont des indicateurs précieux pour déterminer mes talents.

Afin de percevoir les effets positifs des affirmations quotidiennes, il faut en moyenne 21 jours de pratique continue. Les énoncés sont alors répétés plusieurs fois dans la journée. Lorsqu'il n'y a plus de doute mentalement, la pensée créatrice attire les circonstances qui valident l'affirmation en question.

Par ailleurs, la visualisation est un autre moyen pour faciliter notre accès au bonheur: *se voir heureux, au bon endroit au bon moment... s'imaginer en train d'exploiter de nombreux talents... créer des images harmonieuses concernant son milieu de travail...* Il s'agit de prendre le temps d'imaginer une situation souhaitée. En créant des images mentales positives, nous favorisons la manifestation concrète de celles-ci.

De plus, la visualisation renforce les affirmations car elle donne une forme émotive aux pensées rationnelles. Les deux doivent être alignées dans la même direction sinon elles s'annulent. Si je répète par exemple l'affirmation suivante: «*Je suis heureuse dans mon travail*», et qu'en même temps je me vois toujours aussi triste et misérable, il y a de fortes chances que les conditions ne changeront pas malgré mon désir d'une vie professionnelle plus satisfaisante. La visualisation met en action le pouvoir de création de la pensée.

En outre, la méditation ou la contemplation sont d'autres moyens pour attirer à soi des circonstances heureuses[1]. Ces moments de silence dans lesquels nous «*entrons à l'intérieur de nous*» sont des instants sacrés. Ils nous permettent de contacter la force intérieure d'essence divine qui transcende toutes les limites de notre nature humaine. La méditation consiste à faire silence, à entendre le chuchotement de l'âme qui s'exprime par l'intuition. Chaque période d'intériorisation éclaire notre vision de la vie. Un calme serein enveloppe nos pensées et clarifie nos émotions. Il en jaillit des idées originales qui stimulent notre créativité.

Pour faciliter l'écoute du silence intérieur lors de la méditation, vous pouvez chanter un *mantra*. Le *mantra* est un son qui apaise l'esprit et crée une ouverture sur la pensée créatrice. Il est un pont entre le cerveau gauche analytique et le cerveau droit intuitif. La technique est la suivante:

> Assoyez-vous confortablement, le dos bien droit et les yeux fermés. Prenez quelques respirations pour favoriser une détente mentale. Ensuite, inspirez profondément et expirez lentement en prononçant le son HU qui se prononce

1. Jean-Paul Simard. *La Concentration créatrice*, Éditions de l'Homme, 1998.

Hiou-ou-ou-ou. Recommencez plusieurs fois, le temps de sentir une paix bienfaisante s'installer. Puis, observez sans juger ni analyser. Laissez l'intuition vous envoyer des images inspirantes ou vous chuchoter des idées qui élèvent. L'exercice peut durer de 5 à 20 minutes.

La méditation active est davantage un dialogue entre le moi limité et l'âme illimitée dans le but de comprendre, et non une prière qui consiste à demander. Parler avec le divin en soi génère la force d'agir alors que de prier pour se plaindre provoque un sentiment d'impuissance.

En conclusion, les affirmations positives, la visualisation et la méditation sont des collaborateurs inestimables pour vivre plus harmonieusement. En y ajoutant la discipline, la persévérance et le lâcher prise, nous augmentons nos chances de réussite.

En réalité, un dernier élément peut se rajouter pour assurer un plus grand succès à nos efforts. Il s'agit de la gratitude. En remerciant lors de chaque étape franchie, nous solidifions les acquis antérieurs. La gratitude maintient l'ouverture du cœur pour assurer un flot continu de réussite et d'abondance dans notre vie.

L'abondance est un résultat. L'auteure Julia Cameron nous dit ceci: *«Ce que nous voulons vraiment faire, c'est ce à quoi nous sommes destinés. Quand nous faisons ce que nous sommes censés faire, l'argent vient à nous, les portes s'ouvrent sur notre passage, nous nous sentons utiles et notre travail ressemble à un jeu pour nous.»*[1] En effet, quand nous mettons nos talents au service de l'Univers, celui-ci prend soin de nous car nous travaillons pour le bien du Grand Tout. L'abondance apparaît dans notre vie afin de nous assister dans nos tâches. En travaillant pour l'Esprit ou la Force universelle, celui-ci veille sur nos besoins car nous sommes un associé précieux.

Voyons maintenant comment la réflexion peut nous aider à identifier notre mission personnelle.

- Savoir reconnaître:
  les causes qui me rendent heureux ou malheureux;
  les personnes qui m'aident ou me nuisent dans ma mission;

---

1. Julia, Cameron. *Libérez votre créativité*, Éditions Dangles, St-Jean-de-Braye (France), 1995, p. 168.

les événements qui me propulsent plus haut ou me ralentissent;
les pensées plus claires ou plus angoissantes;
les actions qui génèrent de la joie ou du remords.

- Répéter des affirmations positives:
  Ma santé est de plus en plus florissante.
  Mon discernement est davantage efficace.
  Mon travail est de plus en plus satisfaisant.
  Mes actions nourrissent ma passion.
  Ma vie spirituelle est riche et inspirante.
  Mon sommeil est de plus en plus calme et je me sens ressourcé.

Parmi les signes de nuit en provenance de nos rêves, voici quelques métaphores qui nous aident à mieux établir notre mission personnelle.

- Repérer les avertissements:
  la route est devenue dangereuse (direction risquée);
  la maison va s'écrouler sous peu (bases peu solides);
  les fleurs fanent trop vite (conditions épuisantes);
  la voiture tombe en panne (une impuissance temporaire);
  le sol se crevasse (sécheresse intérieure).
- Accepter les encouragements pour continuer dans la même direction:
  la nature est magnifique et florissante (inspiration abondante);
  la maison est en ordre et dégage la paix (calme intérieur);
  la communication avec les autres est facile et efficace (bonne complicité);
  nager dans des eaux claires et tempérées (émotions positives);
  conduire sur une route agréable et ensoleillée (orientation juste);
- Induire un rêve solution:
  Cette nuit,
  je comprends les causes de mes insatisfactions;
  j'apprends à faire les bons choix;
  je détecte les pièges qui nuisent à mon bonheur;
  je reçois les informations concernant ma santé;
  j'évalue ma vie sentimentale;
  j'adopte la bonne attitude pour agir;
  je pratique la vision intuitive.

Chapitre 2

Partir à la découverte des signes de jour

Puisque tout le monde a une mission personnelle à accomplir, comment peut-on procéder pour la découvrir? En plus du degré de satisfaction comme outil de recherche, il existe aussi les signes de jour. Ces signes proviennent de différentes sources, dont l'intuition et la certitude.

Pour certains, la démarche de reconnaître sa mission personnelle est facile car elle s'est imposée tout naturellement à eux très tôt dans leur vie. La carrière de la chanteuse Céline Dion en est un exemple frappant. Depuis l'âge de 4 ans, sa passion est le chant. Lorsqu'elle a commencé à travailler avec son gérant René Angélil, elle lui a exprimé ses désirs en ces termes: *«Tout ce que je te demande c'est de me faire chanter»*.

Pour ces gens engagés très tôt dans leur raison d'être, la satisfaction se lit sur leur visage malgré les aléas qui surgissent parfois sur leur parcours de vie. Une merveilleuse synchronicité les a menés sans contrainte vers le rôle actif qu'ils assument, vers la carrière qui les rend heureux, ou vers l'expression artistique qui les comble.

Que ce soit la mère ravie de ses obligations familiales, l'avocat satisfait de son travail, ou l'artiste réjoui par ses œuvres, chacun démontre un épanouissement serein dans les multiples tâches du quotidien. La routine apparente et les embûches occasionnelles n'éteignent pas le feu sacré qui les habite.

À la maison, au bureau ou sur la scène, les personnes engagées dans leur mission personnelle déploient une forme de créativité qui leur est propre. Elles exploitent leurs talents et en ressentent une grande satisfaction. Cette contribution fait une différence dans l'environnement immédiat et dans la vie collective. En tant que témoins de leur épanouissement, nous sommes souvent inspirés par leur enthousiasme et les multiples réalisations, résultats de leurs actions.

Pour d'autres personnes, la concrétisation de leur raison d'être apparaît plus tard. De nombreuses étapes précèdent l'accomplissement ultime de leur mission personnelle. Ce parcours différent est aussi valable car il aboutit au même résultat: agir individuellement pour contribuer à l'ensemble.

Un parcours moins direct amène parfois des phases progressives. Pour certains, malgré un contexte de vie relativement acceptable, un vide s'installe à un moment donné créant un malaise plus ou moins supportable. Cet inconfort est déstabilisant et amène à ressentir un vide intérieur. Ni les responsabilités familiales, ni le travail quotidien, ni les loisirs ne suffisent à remplir ce vide qui gêne et dérange. La majorité des gens supporte ce malaise en gardant l'espoir que l'acquisition de biens matériels, les fréquentations sociales ou les distractions étourdissantes viendront modifier cet état intérieur. Ils attendent un changement. La souffrance persiste cependant et la vie devient de plus en plus difficile à supporter.

Enfin, pour plusieurs personnes, le malaise quotidien se transforme peu à peu en souffrance excessive. La lourdeur des responsabilités, l'insatisfaction professionnelle ou l'ennui général causent une profonde confusion difficile à tolérer. Ceci détruit lentement mais sûrement l'enthousiasme et la joie de vivre. Si aucune action n'est posée pour contrer la glissade vers cet état de dégradation, certains troubles s'installent et font des ravages, autant du côté de la santé physique que de l'équilibre mental.

L'épuisement, la dépression et le burn-out sont la rançon d'un manque de motivation et d'espoir. La vie ne vaut plus la peine d'être vécue. On *démissionne*. Les causes de cette démission sont multiples et les spécialistes de la santé mentale connaissent bien ce phénomène de plus en plus fréquent dans les sociétés industrialisées. La routine paralysante, le manque de défis et la détérioration des valeurs fondamentales sont parmi les causes les plus fréquentes. Le matérialisme a remplacé la spiritualité, la pensée rationnelle a chassé la pensée intuitive et la peur du changement a tué le plaisir de l'aventure.

Dans toute situation, c'est le déséquilibre des forces qui fait le plus de dommages. Quelles sont ces forces en action dans notre psyché? Étant constitués de deux courants d'énergies, celle de l'âme et celle de l'ego, nous sommes constamment soumis à leur force respective. L'âme, de nature spirituelle, tend vers la réalisation de soi et préfère l'action. L'ego vise la satisfaction immédiate de ses désirs et aime la passivité. Entre ces deux tendances, nous cherchons notre équilibre tout en apprenant à nous connaître.

En fait l'âme, qui est l'essence pure de notre être, constitue notre individualité. Elle est à l'aise dans l'inconnu et l'incertitude. Dans ces circonstances, elle déploie toute sa créativité et son potentiel divin pour s'adapter aux changements et pour résoudre les problèmes qui se présentent à elle. L'aventure est sa nourriture.

L'ego forme notre personnalité. Il est un élément indispensable dans notre développement car il nous différencie des autres. Nos désirs et nos goûts nous démarquent et font de nous des êtres uniques. L'ego recherche la satisfaction de ses besoins qui ont tendance à se multiplier sans cesse. Il veille aussi à sa survie physique.

Contrairement à l'âme qui aime l'inconnu et l'aventure, l'ego préfère le connu et adore les habitudes. Il est à l'aise dans la routine et son comportement a tendance à se cristalliser dans la répétition. Les changements le dérangent car ils perturbent ses prévisions. Dans le connu, l'âme s'endort et l'ego répète ce qu'il connaît déjà. Il n'existe donc pas de place pour la créativité car tout est prévu.

Ces deux forces en provenance de l'âme et de l'ego font cependant bon ménage. L'âme, notre individualité, s'associe à l'ego, notre personnalité, pour s'adapter à l'évolution constante de la vie trépidante d'aujourd'hui. Tantôt dans la survie devant une perte d'emploi inattendue, tantôt dans l'ennui devant la routine abrutissante, nous tentons d'améliorer la situation grâce à la créativité de l'âme ou de solidifier un choix grâce au besoin de stabilité de l'ego. Nous faisons ainsi appel à nos ressources intérieures pour garder le contrôle et réagir au mieux de nos capacités.

Quand nous nous rapprochons de nos qualités d'âme, nous avons le goût de relever des défis, de nous dépasser et de nous aventurer sur des chemins inconnus. Ces initiatives audacieuses réveillent les qualités divines en nous, dont une capacité d'adaptation illimitée et un pouvoir de créativité infinie.

En même temps, avec les attributs de l'ego, nous apprenons à prendre notre place dans la vie. En délimitant notre territoire, nous veillons à notre survie physique et émotionnelle. En cas de danger, les besoins de la personnalité font sonner l'alarme de l'inconfort et nous pouvons alors réagir en fonction du degré de malaise.

Nos rêves sont aussi le reflet de ces deux énergies en évolution dans nos corps subtils, dont les émotions et l'intellect. Le sommeil nous dévoile la puissance de chacun grâce à l'ouverture intérieure que les rêves démontrent chaque nuit. Du rêve compensateur au rêve spirituel, nos aventures nocturnes illustrent nos tendances égocentriques ou notre inclination altruiste en progression.

L'âme étant invincible, immortelle et illimitée, nos scénarios de nuit sont le reflet de l'intégration de ces qualités divines. Affronter l'ennemi onirique et le vaincre avec courage témoigne de notre invincibilité. Transformer un cauchemar en beau rêve illustre notre maîtrise émotionnelle. Rencontrer des guides et visiter des lieux sacrés confirme notre ouverture à une spiritualité simple.

Puisque la route qui mène à notre mission personnelle est parsemée de tournants imprévus, nous pouvons consulter nos rêves pour anticiper avec joie les situations nouvelles et avancer avec prudence vers des issues risquées.

Notre capacité d'émerveillement se développe au fur et à mesure que l'ego lâche prise des attentes limitatives. La vie nous réserve alors des surprises. De notre cœur jaillit un sentiment de plénitude. En percevant le côté sacré de toute circonstance inattendue, nous bénéficions du cadeau divin qui s'y cache. Rien n'arrive pour rien!

Pour donner un sens à notre vie, nous avons besoin de trois éléments: une vision, une passion et un plan d'action. Peu importe que notre mission personnelle soit temporaire ou à long terme, qu'elle soit unique ou multiple, ces trois composantes en assurent la manifestation.

Une vision

Pour capter une vision nous devons être à l'écoute des images spontanées, des pensées irrationnelles ou des intuitions soudaines. Elles jaillissent sans crier gare en provenance du passé, du présent ou du futur.

Du passé

Issue du passé, une vision naît des rêveries de notre enfance. Dès notre prime jeunesse, nous avons souvent prononcé ces mots: *«Quand je serai grand, je ferai...»*. Nos jeux imaginaires et nos passe-temps favoris fourmillaient de scénarios fictifs, d'histoires fantastiques et de vies trépidantes.

La mémoire de notre plan de vie était présente dans notre conscience encore pure. Les peurs et les doutes du mental n'avaient pas contaminé la lucidité de l'âme. Ceci nous faisait pressentir le potentiel de réalisation qui nous habitait: le pilote intrépide, la femme d'affaires accomplie, l'artiste talentueux... tout devenait possible dans l'imaginaire.

Avant d'être influencé par les attentes et les désirs des autres, des parents ou des éducateurs, l'enfant conserve un souvenir intuitif de sa mission personnelle. Il peut se rappeler ses choix d'âme qui ont été établis avant sa naissance[1]. Ces réminiscences lui font dire et même jouer certaines scènes reliées à son avenir potentiel.

Quand j'étais jeune, j'aimais particulièrement jouer à l'école. J'étais la professeure d'une classe imaginaire. J'enseignais et je

1. Michael, Newton. *Un autre corps pour mon âme*, Éditions de l'Homme, Montréal, 1996, 302 p.

guidais mes élèves. J'avais beaucoup de plaisir à leur communiquer mes connaissances. Plusieurs années plus tard, malgré un choix orienté vers le milieu hospitalier pendant 24 ans, j'ai enfin vécu cette vision en donnant des ateliers qui me permettent maintenant de partager mes acquis. J'adore enseigner!

À l'âge de 20 ans, une autre vision, plus ponctuelle et cependant plus étonnante s'est infiltrée dans ma conscience. Je savais avec certitude qu'un jour j'allais écrire un livre. Quand? Comment? Sur quel sujet? Je n'en avais aucune idée. Alors la vision est demeurée latente pendant plusieurs années. Puis, à 35 ans, une envie irrésistible de suivre un cours d'écriture s'est emparée de moi. Le hasard, qui n'existe pas bien sûr, a mis sur ma route les personnes qui m'ont aidé à combler ce désir. Et finalement, à 40 ans, je commençais la production de mon premier manuscrit sur un sujet qui me passionnait depuis de nombreuses années: les rêves.

Du présent

Issue du présent, une vision fait partie de notre vécu quotidien. Elle s'impose à nous à travers différents signes de jour comme la joie de parcourir un article de journal relié à notre passion, de vibrer lors du visionnage d'un film, ou même l'emballement créé par l'écoute des paroles d'une chanson. Ces indices éveillent un enthousiasme intérieur qui cherche à se manifester à l'extérieur.

En général, les personnes confiantes en leur intuition vont repérer ces signes assez rapidement. Il suffit d'être vigilant et de capter l'information qui se marie à la petite voix intérieure pour nous guider.

Les coïncidences du présent nous aident aussi à voir plus clairement les orientations possibles. Un événement inattendu, une rencontre extraordinaire ou une lecture inspirante sont autant de catalyseurs favorisant le pas suivant. Il suffit de saisir cette chance qui amorce un changement favorable pour l'accomplissement de notre mission personnelle.

Du futur

Une vision du futur se devine davantage qu'elle se vit. Nous savons pertinemment que, dans un avenir plus ou moins rapproché, nous accomplirons quelque chose. Ce quelque chose peut être un projet personnel ou une action collective. Il peut être à court terme ou à long terme.

Une sagesse intérieure nourrit la patience essentielle pour attendre que la révélation devienne plus précise. Nous pouvons ainsi pressentir qu'à un moment donné une situation particulière apportera les changements nécessaires pour accomplir ce pour quoi nous sommes destinés. Nous devenons des visionnaires.

Un visionnaire est une personne qui se sert de son imagination pour élaborer un projet futur tout en croyant en son potentiel de réalisation. Sa vision le conduit peu à peu vers les personnes pouvant l'aider à exécuter son plan.

De nombreux visionnaires ont contribué à l'amélioration de notre planète grâce à leurs réalisations: des ingénieurs, des architectes, des constructeurs, des chercheurs environnementaux, des biologistes, des médecins, etc., tandis que d'autres personnes veillent à l'amélioration de la nature humaine: des mères attentionnées, des enseignants engagés, des patrons compréhensifs, des dirigeants politiques consciencieux, etc.

En chacun de nous sommeille un visionnaire. Pour augmenter nos chances de réalisation de notre vision, nous devons la jumeler à une passion.

Une passion

Maintenant que nous avons pressenti notre vision, il s'agit maintenant de l'unir à une passion. Qu'est-ce qui nous captive dans la vie? De quoi raffolons-nous le plus? Quels sont les sujets qui nous charment, nous exaltent, nous transportent: la musique, les sports, les sciences, les voyages, la politique, les affaires, l'éducation...? Avec qui ou avec quoi aimons-nous travailler: les enfants, les personnes âgées, les animaux, les plantes, les objets, les informations? Quelles sont les activités qui nous passionnent: conseiller, fabriquer, négocier, soigner, vendre, chanter...?

Prenez le temps de compléter le tableau suivant en notant par ordre d'intérêt vos choix: 1 équivaut à votre premier choix, 2 au deuxième choix, 3 au troisième, etc. Deux espaces libres à la fin du tableau ont été prévus pour que vous y inscriviez d'autres options plus personnelles.

CE QUE J'AIME FAIRE	
Conseiller	
Diriger	
Enseigner	
Fabriquer	
Gérer	
Négocier	
Organiser	
Soigner	
Vendre	

Complétez ce deuxième tableau avec le même système de codification pour la liste des secteurs d'activité qui vous passionnent le plus : 1 correspond à votre premier choix, etc.

SECTEURS D'ACTIVITÉ	
Affaires	
Arts (peinture, écriture, chant...)	
Beauté (corps, vêtement...)	
Décoration	
Éducation	
Psychologie	
Politique	
Santé	
Sports	
Voyage	

Afin de mieux cerner votre passion, jumelez maintenant les résultats suivants: votre choix numéro 1 du premier tableau avec le choix numéro 1 du second tableau 2, et ainsi de suite avec les choix numéros 2, 3 et 4.

Choix	**Action**	**Secteur**
1		
2		
3		
4		

Vous êtes maintenant en mesure de tirer les conclusions qui s'imposent devant ces résultats. Êtes-vous surpris des combinaisons qui apparaissent, ou reflètent-elles au contraire ce que vous avez toujours pensé? Voici quand même matière pour vous aider à réfléchir sur vos goûts et sur vos attentes.

En règle générale, une vision claire qui rencontre une passion puissante provoque une étincelle d'enthousiasme susceptible de connecter avec la mission personnelle. Pour trouver sa raison d'être, il est important de déterminer ce qui nous enthousiasme le plus.

Si toute trace de passion a disparu de notre vie, nous pouvons demander à nos rêves de nous en révéler des indices. En faisant la demande suivante: «*Cette nuit, je découvre ce qui me passionne vraiment*», nous pourrons retracer un ancien penchant, un emballement récent ou une aspiration future.

Comme la notion de temps n'existe pas dans le monde du rêve, nous pouvons nous projeter dans le passé pour raviver un souvenir enfoui, survoler le présent pour obtenir une perspective élargie ou explorer l'avenir afin d'entrevoir des probabilités futures. Cet inventaire donne généralement des résultats étonnants. Un bilan régulier nous positionne quant à nos goûts personnels trop souvent éteints par la routine. Nos nuits révèlent aussi nos tendances naturelles parfois masquées par une trop forte dose de conformisme.

En tant que créateurs, nous émettons constamment des désirs en provenance de notre réalité intérieure. Quand ces désirs sont sincères et que l'intention qui les nourrit est noble, une conspiration d'imprévus se met alors en place pour favoriser la manifestation concrète de ces désirs. Le docteur Deepak Chopra a écrit ceci: «*Dieu veut la réalisation de tous les désirs sincères de chaque être humain; réaliser nos désirs est notre vocation naturelle en tant que créateurs de notre propre réalité.*[1]»

Car nos désirs agissent comme carburant pour faire avancer l'évolution de l'être. Ils alimentent l'action. Si j'ai le désir de manger une pomme, il y a de fortes chances que je me rende à la cuisine pour en prendre une dans la corbeille de fruits. Si la corbeille est vide et que mon désir est suffisamment fort, je sortirai pour m'en procurer dans un marché d'alimentation. Sans désir, l'inertie nous guette, nous emprisonne. Une passion génère de nombreux désirs et réciproquement, nos désirs nous conduisent à notre passion.

Pour bien saisir les niveaux de plaisir, nous pouvons les répertorier selon les plans de conscience suivants: physique, émotionnel, mental et spirituel. Chacun influence l'autre tout en se solidifiant mutuellement. Puisque nous sommes des êtres vivant dans un véhicule physique avec des émotions, un intellect et une âme, il est normal et sain d'avoir des désirs reliés à chacun de ces corps.

Un désir physique se rapporte davantage à la matière comme: s'entourer de beauté et de confort, avoir un corps énergique, vivre l'abondance matérielle, jouir d'une excellente santé, posséder une voix harmonieuse, etc.

Les désirs émotionnels prennent leur origine dans les sentiments: avoir du plaisir, être en amour, ressentir la gaieté, jouir de la vie, apprendre à rire, à expérimenter la volupté, à savourer le romantisme, à exprimer l'humour, etc.

Les désirs du plan mental sont plus subtils: être intelligent, détenir des connaissances, s'exprimer clairement, comprendre la

1. Deepak Chopra. *La Voie du magicien*, Éditions Robert Laffont, Paris, 1997, p. 98.

philosophie, étudier les sciences, être doté d'un mental concis et structuré, communiquer clairement ses connaissances, etc.

Les désirs spirituels dépendent directement de l'âme: être, créer, aimer, honorer. La sérénité, la béatitude et le ravissement touchent directement notre corps spirituel. Grâce à l'extase divine, nous expérimentons les splendeurs des mondes de l'Esprit.

Plus votre mission personnelle sera précise, plus vos désirs et vos intentions seront clairs. Ils peuvent aussi changer en cours de route selon l'orientation de vos objectifs de vie. Ceci est normal et inévitable. Observez tout simplement ces transformations et admirez le travail de la conscience qui obéit à une dynamique intérieure remplie de sagesse. La connaissance de soi est un long processus qui conduit forcément à la connaissance divine.

Lorsque la vision et la passion cohabitent enfin, il ne reste plus qu'à élaborer un plan d'action pour actualiser sa mission personnelle.

Un plan d'action

Pour développer un plan d'action nous devons établir à la fois des objectifs à court terme et à long terme. Ces buts progressifs sont comme les marches d'un escalier qui nous conduisent étape par étape vers le sommet.

Les objectifs à court terme doivent être facilement atteignables pour générer une confiance en soi. Un but atteint nous solidifie dans l'élaboration du plan général et nous procure une plus grande assurance. De plus, il nourrit le courage nécessaire pour atteindre les objectifs à long terme.

Voici un exemple pour développer un plan d'action. Une jeune femme découvre que sa passion est la musique et que sa mission est d'en faire profiter les autres en partageant ses talents musicaux. À court terme, elle doit préciser si elle préfère jouer d'un instrument pour ses loisirs uniquement ou pour gagner sa vie. La qualité des professeurs qu'elle choisira dépendra de ce choix. Ensuite, elle devra se procurer un bon instrument pour pratiquer régulièrement.

À long terme, elle peut opter pour une pratique professionnelle et décider de jouer sur de plus grandes scènes. Elle pourra même désirer faire une carrière internationale. Ce souhait ne sera réalisable que si elle commence par la base, c'est-à-dire par prendre des leçons de musique et ensuite avoir toute la discipline nécessaire pour développer son talent et se démarquer des autres. Chaque petit pas franchi dans l'instant présent la rapproche de son grand idéal futur.

Lorsque ma vision d'enseigner et d'écrire a rejoint ma passion des rêves, j'ai d'abord accepté de mettre mes connaissances au service des autres par le biais de conférences bénévoles. À court terme, ce choix me permettait de pratiquer mes capacités de communicatrice. Les demandes provenaient de divers milieux: des groupes sociaux, des centres de loisirs, du milieu carcéral, pour n'en nommer que quelques-uns.

Puis, des objectifs à long terme commencèrent à se profiler dans ma conscience: écrire un livre et conceptualiser des ateliers pour le grand public. Durant ce processus de réorientation de carrière, j'ai consacré moins de temps à l'emploi de l'hôpital en tant que technologue pour finalement donner ma démission quelques années plus tard.

Comme je notais mes rêves depuis plus de 10 ans, j'étais devenue une rêveuse active. Les nombreux bénéfices que j'en retirais m'étaient d'une aide inestimable. En partageant mes expériences avec d'autres personnes intéressées, je découvrais un enthousiasme constamment renouvelé qui me donnait le courage d'avancer dans l'inconnu.

La première étape étant atteinte, celle d'animer régulièrement des groupes, j'ai ajouté d'autres phases à mon plan d'action: former une relève pour répondre à la demande de plus en plus croissante pour les ateliers et poursuivre l'écriture en approfondissant d'autres sujets relatifs aux rêves. Cet ouvrage étant le septième, je me surprends moi-même à explorer de nouveaux thèmes. Il y a tant à connaître et à dire sur le sommeil et les rêves!

L'intention qui entretient la flamme pour mon travail est celle de servir dans la joie et l'harmonie. Le bonheur de partager ma passion me fait grandir tout en augmentant sans cesse mes connaissances. Les recherches sur les rêves et le sommeil étant en perpétuel développement, je ressens un grand plaisir à explorer et à étudier ce sujet fascinant.

Une fois les trois étapes franchies: capter sa vision, la relier à sa passion et établir son plan d'action, nous pouvons maintenant entreprendre le pas suivant: être à l'écoute des messages de la nuit. Ceci nous permettra d'obtenir des informations supplémentaires sur notre mission personnelle.

Chapitre 3

Être à l'écoute des informations de la nuit

La vie est constituée de trois états de conscience: l'éveil, le sommeil et le rêve. Durant le jour, nous percevons la réalité objective avec nos cinq sens: la vue, l'ouïe, le toucher, l'odorat et le goût. Chacun de ces sens, avec ses particularités distinctes, nous permet d'évaluer notre environnement afin de composer adéquatement avec lui.

À un niveau plus subtil, les émotions et les pensées interviennent aussi pour nous informer de manière subjective à savoir si on se sent bien ou mal, pour ensuite rationaliser une impression agréable ou désagréable. De façon plus directe, l'intuition agit encore plus vivement sans le concours des sens ni de la logique. L'intuition connaît instantanément. D'ailleurs, dans nos expériences quotidiennes, nous faisons parfois confiance à cette petite voix intérieure qui guide nos choix et nos décisions.

Le sommeil et les rêves

En sommeil de rêve, l'intuition est dominante. Grâce aux autres modes de perception que sont l'imagerie et le senti, l'intuition remplit sa fonction informative. L'imagerie mentale crée pour nous un cinéma onirique, reflet d'une vie intérieure pleine d'actions et de sensations. La pensée intuitive et globale devient ainsi le principal mode d'émission. Nous rêvons pour mieux comprendre.

Est-ce que tout le monde rêve? Combien de rêves faisons-nous par nuit? Comme la science en a maintenant fait la preuve, nous rêvons tous. Durant une nuit normale, ce temps est réparti sur 4 à 6 périodes de sommeil paradoxal entrecoupées de périodes de sommeil profond. Le rêve a lieu durant toute la durée du sommeil. Il est cependant plus facile de s'en souvenir durant les périodes de sommeil paradoxal qui apparaissent toutes les 90 minutes.

En sommeil profond aussi appelé sommeil lent, l'activité cérébrale fonctionne au ralenti avec une émission d'ondes électriques très lentes. Pendant ce temps, le corps physique est en «phase de rénovation»: réparation des tissus endommagés, sécrétions des hormones de croissance, régénération des organes épuisés. Le sommeil lent aide à la guérison du corps physique.

Après un premier cycle de sommeil profond d'environ 90 minutes, le sommeil paradoxal apparaît, provoquant une activité cérébrale intense. Les rêves dont le contenu visuel est riche ont lieu principalement durant ce sommeil aux caractéristiques étonnantes: l'activité corticale met le cerveau en ondes rapides alors que le corps est profondément endormi. Cette période est caractérisée par une absence de tonus musculaire. Les termes «sommeil paradoxal» découlent de ce paradoxe: le cerveau est très éveillé alors que le corps est profondément endormi et temporairement paralysé.

Durant le cycle du sommeil paradoxal, nous bénéficions d'une rénovation psychique. Le stress accumulé s'évacue, les émotions refoulées se libèrent et les nouvelles connaissances sont intégrées. S'effectuent alors une transformation de la mémoire à court terme en mémoire à long terme, de même qu'une reprogrammation de l'information génétique. De plus, en période d'apprentissage intense ou de changements accélérés, nous rêvons plus que d'habitude. Le rêve aide à l'adaptation.

Bien entendu, la mémoire du rêve varie d'une personne à l'autre. Plus nous sommes intéressés par notre vie onirique, plus nous mémorisons facilement nos scénarios de rêve. Puisqu'il est possible de se souvenir et de faire le rapport d'au moins un à six rêves par nuit, nous avons ainsi accès à une information privilégiée concernant notre vie subjective qui influence par la suite notre vie d'éveil. La sagesse populaire dit que *la nuit porte conseil!* Dans cette optique, le rêve devient un informateur précieux pour éclairer nos choix et nos décisions de jour.

Il existe une excellente façon de capter les messages de la nuit, c'est de tenir quotidiennement un journal de rêves. Cette habitude permet d'être à l'écoute de toute information, de tout avertissement ou de tout conseil que l'intuition met à notre disposition par le biais des images oniriques.

En fait, la pensée intuitive activée durant le sommeil de rêve diffère de la pensée rationnelle dominante durant l'éveil. Quand nous rêvons, nous sommes beaucoup moins critiques et plus détachés au point de vue émotionnel. Ceci nous permet de percevoir avec un regard neutre le vécu quotidien et de jouir d'une vision plus vaste et plus globale de la réalité.

De plus, par une stimulation accrue des cellules du cerveau, nous devenons en quelque sorte plus perspicaces. Cette hyperlucidité favorise des rêves contenant des solutions aux problèmes qui encombrent notre mental. À titre d'exemple, de nombreuses découvertes ont germé à partir des rêves de leur inventeur dont le phonographe, l'ampoule électrique, le stylo à bille, l'ordinateur, la machine à coudre, pour n'en nommer que quelques-unes.

La pensée créatrice atteint aussi un haut niveau de performance et apporte toute l'inspiration dont les artistes ont besoin. De nombreuses œuvres littéraires, musicales et cinématographiques proviennent du monde du rêve: le roman *Docteur Jekyll et Mister Hyde* de Robert Louis Stevenson, le poème *Kubla Khan* de Samuel Coleridge, l'opéra *La Flûte enchantée* de Wolfgang Amadeus Mozart, le film *Le Choix de Sophie* de William Staren.

Du côté des sportifs, le même phénomène de créativité se produit. En 1964, le célèbre golfeur Jack Nicklaus fit un rêve dans lequel il tenait son *club* d'une nouvelle façon et cela lui permettait de frapper la balle avec davantage d'efficacité. En mettant en pratique cette technique originale, il améliora ses performances dès le lendemain.

Par ailleurs, les chercheurs ont remarqué que l'imagination et la créativité sont les premières facultés à défaillir quand nous manquons de sommeil. La privation de rêves crée un déséquilibre émotif et intellectuel qui se répercute sur la vie d'éveil. Du reste, on l'observe grandement chez les jeunes aux études, sitôt que leur sommeil est perturbé, ils assimilent moins bien et moins rapidement les connaissances acquises de jour.

Notre cerveau est un mégaordinateur dont les fonctions sont amplifiées la nuit grâce au sommeil paradoxal. En effet, durant le rêve, cet organe peut fonctionner jusqu'à 90 % de sa capacité alors que le jour il atteint à peine 10 %. Voilà qui est très intéressant: nous sommes plus intelligents la nuit que le jour!

Pour profiter pleinement de cette accessibilité à notre potentiel créateur, nous avons tout intérêt à noter nos rêves et à apprendre à les décoder. Pour y parvenir, la méthode la plus simple est de tenir un journal de rêves.

La gestion du journal de rêves

Le principal outil pour travailler avec l'information onirique est un cahier dans lequel nous consignons les images, les impressions et les sentiments qui persistent à notre réveil[1].

Pour être efficace, le journal de rêves doit contenir les éléments suivants: la date, un titre à chaque rêve, et le sentiment final ressenti lors de la dernière scène. Ces composantes forment un tout qui permet d'établir une ou plusieurs pistes d'analyse. Le rêve étant extrêmement subjectif, nous avons besoin du ressenti du rêveur, de son contexte de vie et de son réseau d'associations pour tenter une interprétation quelconque. Pour ce, voyons plus en détail chacune de ces composantes.

La date

Indiquer la date permet de se situer dans le temps, de repérer les rêves répétitifs et d'identifier les rêves prémonitoires. Puisqu'un rêve révèle souvent son potentiel informatif quelques jours et parfois plusieurs mois après sa manifestation, la date est

1. Nicole Gratton. *Mon journal de rêves*, Montréal, Éditions de l'Homme, 1999, 336 p.

extrêmement précieuse. De plus, les rêves répétitifs seront mieux compris en reliant la période d'apparition et le contenu récurrent.

Il est bon de se questionner pour établir un lien entre les événements de jour et le contenu des images de nuit: *Est-ce que mon cauchemar apparaît chaque fois que je dois poser telle action? Y a-t-il un rapport avec mon rêve de colère et le refus de mon patron de discuter avec moi? Puis-je relier ce type de rêve romantique avec la visite de telle personne?* Certains scénarios sont cycliques. En les observant avec le recul du temps, nous pouvons découvrir un plan directeur qui laisse entrevoir l'origine de cette situation.

Le titre

Donner un titre à votre rêve, cette deuxième composante du journal de rêves, sert à englober le scénario complet et à mettre en évidence l'élément marquant ou l'ambiance générale du rêve. Le titre n'est pas nécessairement logique. Il se choisit avec l'hémisphère droit du cerveau, l'intuition et la pensée synthétique. Le titre jaillit spontanément et nous fait souvent sourire. C'est lui qui donne le filon, c'est l'élément fort qui nous oriente dans notre tentative d'analyser le rêve.

Il suffit de choisir un mot, une expression ou une courte phrase: «*Éblouissement soudain*», «*L'agresseur surpris*» ou «*Une petite maison sans plafond...*» Plus tard, en consultant le journal de rêves, la lecture du titre suffira à se remémorer le contenu du rêve, à faciliter la recherche d'un scénario particulier et aidera à l'analyse du rêve.

Le sentiment

Tout au long du rêve, nous ressentons différentes émotions allant de la joie la plus sublime à la frayeur la plus terrifiante, de l'amour le plus intense à la haine la plus puissante. Nous expérimentons une panoplie de sentiments qui vont du détachement à l'angoisse, de l'indifférence à l'engagement. Pour avoir tous les indices nécessaires à une bonne interprétation des images, nous aurons besoin du sentiment final, celui qui est ressenti lors des dernières scènes du rêve.

Un terrible cauchemar qui se termine par un sentiment de neutralité ou de soulagement démontre une évolution du scénario vers une transformation positive. Il symbolise une victoire sur quelque chose de dérangeant ou l'espoir d'une réussite probable.

Voici l'exemple d'un rêve fait à un moment où j'allais m'associer avec de nouvelles personnes pour mon travail. Étant très solitaire de nature, je me demandais si j'allais pouvoir bien fonctionner dans cette nouvelle coopération.

La sportive en groupe

Je décide d'aller faire du conditionnement physique dans un gymnase semi-privé. Les gens s'entraînent dans une salle fermée. Je décide de m'installer dans une autre pièce à aire ouverte. De nouvelles personnes arrivent et prennent place aux appareils près de moi. Je leur parle tout en continuant mes exercices. Je me sens bien.

Sentiments finals: bien-être et autonomie

Puisque je ne fréquente aucun gymnase dans ma vie d'éveil, c'est donc pour moi une métaphore qui me parle d'action. D'autre part, comme je fais déjà régulièrement de l'exercice chez moi, je sais que ce n'est pas l'objet du rêve de me conseiller d'en faire. Cependant, pour faire le lien avec ma préoccupation de la veille, le rêve m'informe que, dans le jeu de la vie, j'ai besoin d'espace (aire ouverte) pour m'entraîner dans ma vie d'action (sportive). Mes choix attirent dans mon environnement de nouvelles personnes qui respectent mon autonomie. Grâce à ce rêve, je comprends que je n'ai pas à m'inquiéter même si d'autres personnes veulent s'associer ou (s'entraîner) avec moi.

Si mes sentiments finals au réveil avaient été *l'inconfort et l'envahissement*, j'en aurais déduit que, dans ma vie d'action, je me sens envahie par des personnes qui gravitent autour de moi. Cette information aurait modifié mon choix de m'associer avec ces personnes.

Pourtant, un an plus tard, dans le même ordre d'idées pour une situation semblable concernant une offre de collaboration, le rêve s'est présenté avec une métaphore différente pour m'informer.

Je chante seule

J'ai préparé un texte pour le présenter à un groupe de personnes. Il y a toutefois une particularité à laquelle je ne m'attendais pas: je dois le présenter en chantant. Je sais que je chante faux mais la musique est tellement forte, elle va couvrir ma voix, me dis-je pour me rassurer. Je commence à chanter et soudain la musique s'arrête. Je dois donc continuer sans trame sonore pour camoufler ma voix. Je crois que je vais paniquer. Soudain, je me mets à improviser toutes sortes d'intonations comme si je faisais des vocalises. Je deviens calme et je ne m'inquiète plus de ce que les autres pensent car je fais de mon mieux, je le sais.

Sentiments finals: audace et confiance en moi

Le titre m'indique tout de suite une réponse à ma préoccupation de la veille: la possibilité de fonctionner seule dans le projet en question. Grâce au sentiment final d'audace et de confiance, je comprends que je peux me surpasser (improviser et faire des vocalises avec ma voix même si elle n'est pas juste) dans cette situation et remplir mon mandat (chanter seule et sans musique) sans me laisser affecter par les jugements des autres. Mes résultats ultérieurs ont prouvé depuis que ma décision de fonctionner seule pour le projet en question avait été pertinente.

En guise d'avertissement, la métaphore du rêve prend parfois des allures très simples. Voici l'exemple d'un rêve fait dans une période où je préparais un nouveau projet dont la réalisation me tenait beaucoup à cœur.

La maison mal calfeutrée

Je m'installe dans une maison d'une seule pièce, c'est un rez-de-chaussée et les murs sont gris. J'y suis bien et je vaque à mes occupations. Soudain, je constate que la lumière du jour passe par les interstices des murs. Je décide donc de calfeutrer ces fentes avec du ruban gommé gris pour éviter les infiltrations de froid qui risquent de me faire geler. Je ne suis pas dupe et j'agis rapidement.

Sentiments finals: vigilance, urgence d'agir

Dans le contexte du projet en préparation, je réalise que mon espace (maison d'une seule pièce) est mal protégé. Des infiltrations risquent de me faire geler (probablement les idées refroidissantes des autres). Ma vigilance me permet de m'en rendre compte à temps et d'agir vite pour éviter une perte d'énergie inutile. J'adopte alors la loi du silence pour mon projet (le gris, une couleur qui passe inaperçue pour moi). Je n'en parle à personne et je conserve ainsi mon inspiration.

Il est très important de relier le rêve de nuit à la réalité de jour. L'un ne va pas sans l'autre. L'éveil constitue le champ de nos expériences extérieures et le sommeil permet d'intégrer nos connaissances intérieures pour évaluer au fur et à mesure la pertinence de nos actions quotidiennes. *Suis-je alignée sur mes objectifs personnels? Puis-je foncer dans cette direction inconnue? Comment recevoir ce projet intéressant? Qu'ai-je appris de cette expérience douloureuse?* Voilà autant de questions auxquelles j'ai trouvé réponse grâce à la vision globale accessible en rêve. Cette perception provient de l'hémisphère droit du cerveau qui s'exprime de jour par l'intuition et de nuit par l'imagerie onirique. Le sentiment final qui termine le rêve présente la solution de l'intrigue présentée sous forme de métaphore.

Afin de pouvoir faire le lien entre le contexte de jour et les expériences de nuit, il est bon de noter dans son journal de rêves deux événements de la journée. Il suffit de sélectionner les plus importants, ceux qui suscitent une réflexion ou un questionnement. Puisque le rêve a comme principale fonction de nous éclairer, il est fort probable qu'il offrira des réponses inspirantes à nos préoccupations quotidiennes.

La relecture périodique

L'étape qui suit la consignation régulière de nos rêves est la relecture. Elle permet d'identifier les différentes catégories de rêves: réactifs, compensateurs, temporels, prophétiques, télépathiques et spirituels.[1]

Selon la fonction du rêve (informer, libérer, communiquer ou évoluer), chaque scénario sera relié à une des catégories. De plus, un même rêve peut comporter un aspect informatif du présent, une guérison en relation avec le passé et une prémonition. Dans la dimension du rêve tout est possible. Les barrières du temps sont abolies pour nous offrir un tableau d'ensemble pouvant nous aider à solutionner les problèmes quotidiens et apprivoiser les potentialités de l'avenir.

Le rêve réactif

Le rêve réactif est généré par une condition extérieure à laquelle nous réagissons en incluant des images relatives à ce stimulus. Si mon travail exige trop d'énergie et que d'en consacrer à ce point me fragilise au détriment de ma santé, un rêve réactif peut m'informer de l'épuisement potentiel qui s'ensuivra inévitablement. La métaphore visuelle du rêve pour illustrer ceci pourrait être: *la batterie de mon auto est complètement déchargée* (mon énergie est à plat); *les chaudrons que j'utilise brûlent constamment* (je suis «brûlée[2]»). Le rêve réactif est parfois utile pour suivre l'évolution d'une maladie dont celle de l'épuisement professionnel. Tout changement physiologique suite à un traitement pourra être illustré par une métaphore d'amélioration: *un champ qui fleurit à nouveau, une voiture réparée, un objet rénové* ou par une scène de détérioration: *un édifice qui s'écroule, une bicyclette endommagée, une plante qui se flétrit.*

Le rêve compensateur

Dans la deuxième catégorie, celle des rêves compensateurs, nous assistons à des scènes dans lesquelles des émotions sont exprimées. Ces rêves sont le résultat d'une situation affective suite à un vécu récent ou ancien. Une colère refoulée, un désir non manifesté ou une joie réprimée trouvent un exutoire dans le rêve. Cette

1. Nicole Gratton. *L'Art de rêver*, Paris, Éditions J'ai lu, 1999, 190 pages.
2. Expression de niveau familier qui signifie: je suis crevée, je suis complètement vidée.

libération dégage l'univers psychique du rêveur et permet un meilleur équilibre dans sa vie d'éveil.

Les rêves compensateurs sont très utiles en période de frustrations intenses: un travail ennuyant de jour peut générer des rêves de dépassement comme escalader la chaîne de montagnes Himalaya ou visiter la planète Vénus; un patron contrôlant le jour peut se transformer la nuit en monstre que l'on tue avec courage; une vie trop conformiste de jour peut provoquer des rêves de délinquance dans lesquels on ose faire des gestes répréhensibles. Notre corps émotif a besoin de compenser pour tout déséquilibre émotif. Une soupape de sécurité se met alors en marche dans le monde onirique pour laisser échapper le refoulement intérieur et l'équilibre se rétablit aussitôt.

Le rêve sert de purge pour libérer un espace émotionnel nécessaire au bon fonctionnement de notre vie affective. Nos nuits romantiques, nos folies émotives et nos divagations intellectuelles ont droit de parole. Sur la scène onirique, elles peuvent jouer leur comédie. Le rêve comble tous les désirs, même les plus excessifs.

Le rêve temporel

Dans la troisième catégorie, les rêves temporels, nous devenons des voyageurs sur la trame du temps. Passé, présent et futur sont accessibles pour comprendre, évaluer et décider. Le temps est une illusion qui disparaît dans la dimension du rêve. Depuis qu'Albert Einstein a démontré la relativité du temps, nous savons maintenant que la conception linéaire du temps est une fausse perception créée par le mental qui a besoin de fragmenter l'éternité en portions quantifiables: les secondes, les minutes, les heures, les journées et les années.

En vérité, l'âme se déplace aisément sur la trame temporelle pour y puiser l'information dont elle a besoin afin de se positionner spirituellement. *D'où vient la cause ancienne de telle situation financière? Quelle sera l'effet possible de telle action? Comment réagir maintenant à telle circonstance imprévue?* Avec un saut dans le passé ou un bond dans l'avenir, nous comprenons mieux le présent.

Dans la découverte de notre mission personnelle, les rêves temporels sont particulièrement utiles. *D'où vient ma passion dans un secteur particulier d'activité? d'un passé récent ou ancien? Comment amorcer un changement de carrière sans faire de faux pas? Quelles seront les conséquences futures de tel choix professionnel?* Les réponses seront disponibles grâce à nos envolées dans la dimension temporelle du rêve.

Le rêve télépathique

Avec la quatrième catégorie, les rêves télépathiques, nous bénéficions d'un environnement plus vaste pour communiquer. Dans l'expérience onirique, les masques tombent et les messages à transmettre sont facilités par cette transparence. L'illusion de la séparation est abolie. Les êtres chers sont présents en situation de besoin. Nous pouvons partager, nous confier et écouter avec davantage d'ouverture car le jugement est moins présent.

Grâce aux rêves télépathiques nous pouvons détecter les personnes aidantes et les personnes nuisibles dans la réalisation de notre plan de vie. Ces indices sont très précieux pour accomplir notre raison d'être.

Le rêve spirituel

La cinquième catégorie, les rêves spirituels, sont nos vitamines de nuit. Chaque envolée onirique revitalise nos corps épuisés par les expériences de jour. Un sentiment de paix et de sérénité accompagne nos réveils après un rêve spirituel. Pour rencontrer des guides, recevoir des enseignements ou visiter des lieux sacrés, chaque expérience spirituelle nourrit l'âme qui s'aventure dans les contrées lointaines.

Au contact des mondes de lumière durant le sommeil, nous sommes «réénergisés» pour mieux assumer nos responsabilités durant l'éveil. Un rêve d'envol, par exemple, nous rappelle notre capacité de déployer nos ailes spirituelles pour mieux amorcer une période de changement. De plus, le sentiment de bien-être et de puissance qui accompagne ce type de rêve, nous permet de composer de façon plus confiante avec les événements en cours.

Par ailleurs, en termes d'information, le rêve spirituel nous révèle la motivation réelle qui se cache derrière les conditions actuelles de notre vie physique, émotionnelle et intellectuelle.

Toute préoccupation est considérée dans une vision plus large pour désamorcer une inquiétude envahissante ou un doute récurrent. Se voir en rêve entouré de lumière, nous procure un sentiment de réconfort grâce auquel nous pouvons poursuivre notre route avec le sentiment d'être protégés.

Puisque l'âme apprend dans toutes les circonstances de la vie, un rêve spirituel nous permet de nous réjouir devant les réalisations qui en découlent.

La gestion

Pour bien profiter de ces moments de liberté accordés par le sommeil, une bonne gestion de nos rêves est nécessaire. Planifier ses nuits, c'est saisir la possibilité qui nous est offerte de bénéficier d'une disponibilité totale de notre potentiel créateur.

Tout comme la gestion d'une journée de travail ou de loisirs, la gestion de nos nuits comporte différentes étapes. Certaines actions sont profitables à court terme et d'autres sont utiles à long terme. Durant le jour, nous décidons à court terme d'initiatives précises comme: *aujourd'hui, je vais... aller travailler, manger à telle heure, rencontrer tel client*. La nuit nous pouvons aussi décider: *cette nuit, je vais... comprendre tel problème, vérifier les conséquences de tel projet, trouver la solution à telle question.*

Cette planification ou induction du rêve s'appelle faire des *postulats quotidiens*. À court terme, ils permettent de régler des situations ponctuelles ou d'apporter des réponses urgentes. À long terme, ils favorisent des prises de conscience sur des aspects plus profonds de sa personnalité. Nous pouvons alors utiliser les *thèmes mensuels*, provoquer des changements en profondeur comme éliminer une peur incontrôlable ou rehausser une qualité essentielle à notre bien-être.

Le postulat quotidien

L'induction du rêve est une technique très ancienne qui fut populaire dans la Grèce antique. Un long rituel de préparation favorisait la venue du rêve désiré. Les pèlerins venaient de très loin pour dormir dans les temples dédiés au dieu Esculape afin de recevoir des réponses et des guérisons durant leur sommeil. De nos jours, il est plus simple de pratiquer le rituel d'induction avec le postulat quotidien. Il suffit d'inscrire sur un bout de papier ou dans notre journal de rêves l'énoncé choisi[1].

Le postulat quotidien sert à induire un rêve précis dans lequel nous décidons d'accomplir quelque chose. Il est court, direct et se formule simplement: *«Cette nuit, je vais...»* Les possibilités d'induction sont infinies. Notre créativité et l'urgence de nos besoins en créeront de multiples combinaisons.

À titre d'exemple, nous pouvons demander à comprendre une situation difficile: *«Cette nuit, je vais savoir pourquoi j'ai perdu mon emploi»*. Nous pouvons vérifier la pertinence d'un choix: *«Cette nuit, je vérifie si le travail qu'on me propose me convient»*. Nous pouvons aussi explorer les possibilités futures qui se présenteront à nous: *«Cette nuit, je vois les occasions à venir dans ma vie professionnelle»*. Un autre type de postulat est celui dans lequel nous préparons un événement du lendemain: *«Cette nuit, je pratique mon entrevue avec mon futur employeur»*.

La condition requise pour favoriser la réalisation d'un postulat est la noblesse de l'intention. Tant que nous agissons pour le bien du Tout, c'est-à-dire notre bien et celui des autres, nos demandes seront exaucées. Si nous sommes sincères et confiants, les chances de réussite sont augmentées. L'audace de faire une demande combinée à la sagesse du lâcher prise garantissent aussi de meilleurs résultats.

Au début, le doute peut s'infiltrer dans nos requêtes car de fausses croyances et des préjugés limitatifs par rapport aux rêves sont parfois tenaces: *c'est trop simple pour être vrai; je ne peux réussir aussi facilement; les rêves sont des élucubrations de la pensée;* etc. Donnez-vous le temps d'essayer différentes formulations de postulats sur une période d'au moins un mois. Par la suite, l'expérience apportera la confiance et, petit à petit, la certitude remplacera toute forme de scepticisme.

Lorsque les postulats quotidiens sont bien intégrés dans le rituel du coucher, nous pouvons aller plus loin avec la pratique des thèmes mensuels. Ceux-ci ouvrent la porte aux transformations

1. Nicole Gratton. *Les Rêves, messagers de la nuit*, Montréal, Éditions de l'Homme, 1998, 172 p.

profondes. En choisissant un thème qui sera en vigueur pendant un mois entier, nous invitons nos rêves à nous seconder vers différentes améliorations : une qualité à cultiver, une force à amplifier, un talent à développer ou une aptitude à acquérir. Les scénarios de rêves se construisent autour du thème choisi afin de nous faire pratiquer.

Le thème mensuel

Un thème mensuel est constitué d'un seul mot. Selon les besoins du moment nous pouvons opter pour : *courage, humour, autonomie, plaisir, spontanéité, lâcher prise, abondance, sérénité, enthousiasme, solidité, extase, souplesse, confiance, etc*. Les résultats sont perceptibles à long terme car nous consacrons tout le temps nécessaire pour les intégrer.

Sur une base annuelle, nous pouvons opter pour nos douze thèmes mensuels de différentes façons. La première consiste à les choisir au fur et à mesure que les mois s'écoulent. La seconde comprend une sélection à partir de maintenant ou du jour de notre anniversaire de naissance. Ce dernier est particulièrement propice car la date de notre naissance correspond à un nouveau cycle.

Pour désigner les thèmes mensuels à l'avance, nous devons nous fier à l'intuition qui connaît nos besoins futurs. Cet exercice nous permet d'apprivoiser ce côté visionnaire que nous possédons tous.

En outre, le même thème peut aussi revenir plus d'une fois si nous sentons que cela est nécessaire ou simplement par plaisir. La nuit nous ouvre toutes grandes les portes de l'expérimentation, osons la rendre utile et agréable pour mieux accomplir notre mission personnelle.

L'agenda de nuit

La troisième technique de gestion du sommeil comporte l'agenda de nuit. Cette approche s'adresse aux personnes audacieuses et confiantes. En élaborant un agenda de nuit, nous bénéficions de chaque moment mis à notre disposition par le sommeil libérateur. Nous avons la possibilité d'accomplir en rêve ce dont l'éveil nous a privé par manque de temps.

Puisque nous avons une moyenne de 6 à 8 heures de sommeil à notre portée aussi bien en profiter totalement. De la même façon que nous planifions nos journées avec différentes plages d'activités dont le travail, les obligations familiales et les loisirs, nous pouvons aussi organiser nos nuits avec des occupations de notre choix.

On peut donc se planifier un rêve compensateur pour le plaisir, un rêve informatif pour régler un problème financier, un rêve curatif pour se régénérer, un rêve télépathique pour harmoniser un conflit au travail, un rêve spirituel pour connaître son potentiel divin et un rêve de victoire pour dépasser ses anciennes limites.

Mon expérience personnelle dans ce domaine me prouve depuis de nombreuses années combien le sommeil est créatif. La plasticité du cerveau est incroyable. Induire un rêve est une faculté offerte à tous. L'impact du visionnage d'un film d'horreur qui provoque des cauchemars nous le prouve sans cesse. Alors aussi bien se laisser impressionner par un désir sincère d'accomplir une action plaisante ou utile durant le sommeil. En mettant par écrit le postulat quotidien ou le thème mensuel, nous en favorisons sa réalisation. De l'audace pour essayer et de la persévérance pour réussir constituent le prix à payer pour apprendre à gérer ses nuits.

DEUXIÈME PARTIE

LA VÉRIFICATION

Nous pouvons vérifier notre mission personnelle en consultant notre baromètre intérieur et en apprivoisant notre pouvoir divin

Chapitre 4

Consulter son baromètre intérieur

Tout comme il existe des appareils pour vérifier la température et la pression atmosphérique de notre environnement extérieur, il existe aussi des moyens pour analyser les conditions de notre environnement intérieur. La nuit nous offre des outils subjectifs afin d'évaluer le niveau interne de nos émotions, le degré d'efficacité de notre mental et la puissance de notre intuition. La vie d'éveil nous présente aussi des moyens pour évaluer nos choix et nos actions. Elle nous guide par des signes de jour que nous détectons par des coïncidences surprenantes et des synchronicités inattendues.

Les signaux extérieurs

Le hasard n'existe pas. L'univers est parfait et chaque événement est interelié. Un plan divin veille sur la création entière, du microcosme au macrocosme.

Des coïncidences

En période de questionnement ou de doute, une circonstance inattendue apparaît soudain pour nous guider ou nous aider. Par exemple, en période de recherche d'emploi, on croise une personne qui fait exactement le travail que nous avons toujours souhaité faire. Cette rencontre non planifiée pourrait nous dire de persévérer car nous avons devant nous l'image vivante d'un désir réalisé par une autre personne. Quelle coïncidence!

Par le biais d'un mot écrit comme une annonce publicitaire, d'une carte de souhaits ou d'un livre ouvert au hasard, nous pouvons détecter une information pertinente sur un questionnement ou un doute. Il suffit de faire le lien entre les pensées du moment et le texte qui est sous nos yeux.

Line est désespérée après un période de dépression qui la retient à la maison. Elle souhaite s'intéresser à une activité qui lui redonnera le goût de l'action mais elle ne sait pas comment amorcer le changement. Un après-midi où elle est assise tranquillement chez elle, elle a l'intuition de consulter les pages jaunes du bottin téléphonique. L'annuaire lui échappe des mains et tombe sur une page ouverte. Line consulte cette page et voit l'annonce d'un centre de yoga. Elle pressent un signe important et s'inscrit à un cours. Cette démarche de yoga a facilité sa guérison.

Les coïncidences peuvent aussi se manifester par des sons: les paroles d'une chanson à la radio, une conversation d'un voisin de table au restaurant ou un lapsus. En étant vigilants, nous pouvons découvrir des indices précieux pour avancer avec plus d'assurance dans un cheminement qui peut nous sembler précaire.

Des synchronicités

C'est Carl Jung qui a utilisé le terme de synchronicité pour décrire la manifestation simultanée de deux événements reliés par le sens mais non par la cause. Il peut donc y avoir une coopération entre des personnes et une synergie entre certains événements pour créer des circonstances aidantes.

Ce phénomène universel de connexion entre les événements et les pensées apparaît au moment opportun pour nous guider et nous informer. La synchronicité éveille donc nos sens pour infirmer ou confirmer un choix: *Suis-je au bon endroit, au bon moment? Mes choix sont-ils les meilleurs pour l'instant? Comment aborder tel problème?* Par la vigilance et l'observation, nous pouvons détecter des signes qui nous aident à comprendre.

En fait, un événement qui se produit trois fois dans une période de temps assez court est un exemple de synchronicités. Dernièrement, j'étais déçue de ne pouvoir assister à une conférence présentée par un médecin de France venu parler des rêves.

Certains engagements que j'avais déjà pris m'empêchaient de me rendre à l'événement.

Soudain, en l'espace de quelques heures, trois personnes m'ont téléphoné pour me mettre au courant de la conférence en question. Par ce signe, j'en ai conclu que je pourrais sûrement me libérer de mes obligations pour me rendre à temps à la présentation. Cette éventualité m'a permis d'annuler sans problème les engagements antérieurs et d'assister à la conférence. Ce fut une soirée enrichissante pour mettre mes connaissances à jour.

La vie nous parle sans cesse. Il suffit de l'écouter par les indices subtils qui jaillissent soudain sur notre route. Dans la vérification de notre mission personnelle, ces informations seront importantes pour résoudre les énigmes. Les rêves de nuit et les signes de jour servent de baromètre pour indiquer les niveaux de compréhension intérieure sur nos expériences extérieures.

Les signaux intérieurs

Durant le sommeil, alors que la pensée rationnelle perd du pouvoir au profit de la pensée intuitive, nous pouvons mieux comprendre notre niveau de satisfaction. Pour y parvenir, nous pouvons consulter deux types de rêves: les rêves informatifs et les rêves d'enquête.

Les rêves informatifs

Pour avoir accès à une foule de renseignements sur le vécu quotidien, les rêves informatifs sont présents chaque nuit. Ils nous donnent l'heure juste à tous les niveaux, du physique au spirituel, en passant par le vécu affectif et intellectuel. En nous informant sur le passé enfoui, le présent en action et le futur en devenir, ils nous brossent un tableau des causes anciennes et des effets à venir.

De nature temporelle, les rêves informatifs nous aident à comprendre le quotidien dans lequel nous évoluons. Si les événements de la journée sont en harmonie avec notre mission actuelle, les rêves seront un baromètre pour nous en indiquer le degré de pertinence.

Robert a signé un nouveau contrat avec un client difficile. Les doutes envahissent son esprit. Le soir suivant, il décide de faire une vérification dans ses rêves afin de maintenir l'harmonie dans ses pensées de jour grâce à ce postulat: *«Cette nuit, je vérifie si le contrat avec le client X est une décision juste pour nous deux»*. Il fait le rêve suivant.

Les arbres remplis de fruits

Je sors de chez moi et j'aperçois devant la maison de magnifiques arbres remplis de fruits. Les branches croulent sous l'abondance de fruits mûrs. Je suis ébahi et réjoui.

Sentiments finals: abondance et bonheur

En se reportant à ses appréhensions de la veille, Robert réalise qu'il n'a pas besoin de maintenir d'inquiétudes inutiles. Son geste va porter fruit et il en récoltera de l'abondance et du bonheur. En effet, ce client qui s'annonçait difficile est devenu par la suite un collaborateur précieux qui l'a aidé dans son travail et, évidemment, dans sa mission professionnelle.

Cependant, si les circonstances actuelles ne sont pas en harmonie avec nos buts personnels, le rêve révélera un aspect non perçu durant le jour. Julie avait reçu une offre pour se joindre à un nouveau groupe d'étude sur un sujet qui la passionne depuis plusieurs années. N'étant pas certaine de l'utilité de ce groupe particulier, elle fait le postulat suivant: *«Cette nuit, je vérifie s'il est bon pour moi de me joindre au groupe X»*.

Le détour inutile

Je dois me rendre dans un lieu où je suis attendue. Quelqu'un m'offre de m'y conduire en voiture. J'accepte. Après un certain temps, je constate que le conducteur prend des rues transversales qui allongent le parcours. Ce sont des détours inutiles pour enfin aboutir beaucoup plus tard à destination. Je suis déçue.

Sentiments finals: regret et déception

En faisant le lien avec l'offre qu'elle a reçue dans la journée, Josée comprend qu'elle risque de prendre des détours inutiles pour se rendre à son objectif personnel. Le lendemain, un ami la met en relation avec un autre groupe, beaucoup plus adapté à ses goûts et ses talents. Elle est heureuse d'avoir attendu et de ne pas avoir investi son temps et ses énergies dans un détour inutile.

Les rêves servent aussi à comprendre le passé qui nous a marqué. Un traumatisme de notre enfance qui rejaillit en rêve peut nous permettre de comprendre les conditions actuelles de notre vécu émotif. Que ce soit une peur irrationnelle, une souffrance insupportable ou une croyance négative, le rêve jettera un nouvel éclairage afin de composer avec ce passé douloureux qui nuit au présent.

Un rêve prophétique surgit dans notre conscience et peut nous avertir des conséquences futures d'un choix présent. Les barrières du temps étant abolies dans le monde du rêve, le passé et le futur deviennent accessibles pour nous instruire et nous guider.

Si des décisions que nous avons prises dans la journée nous éloignent de notre mission personnelle, un rêve nous éclairera sur les conséquences éventuelles.

Monique nourrit le projet d'acheter une copropriété. À plusieurs reprises, elle en visite différents modèles mais elle hésite chaque fois et n'ose pas acheter. Elle fait le postulat de rêve suivant: *«Cette nuit, je vérifie si l'achat d'un condo est le bon choix pour moi».*

La maison idéale

Je suis dans une maison que j'adore. Les pièces sont grandes et fonctionnelles. Même le sous-sol est joli et décoré avec goût. L'environnement extérieur est superbe. Je suis heureuse dans ce lieu bien éclairé et paisible.

Sentiments finals: joie et bonheur

Au réveil, Monique note son rêve et décide d'attendre avant de poursuivre sa recherche d'un condominium. Trois mois plus tard, elle rencontre un homme qui deviendra plus tard son mari. Il est propriétaire d'une magnifique maison semblable à celle du rêve. En se fiant à son rêve prémonitoire, Monique a évité une transaction qui aurait créé des démarches inutiles.

Parfois, l'information nous parvient sans qu'on s'y attende. Voici l'exemple d'un rêve prémonitoire qui semblait peu probable étant donné l'ampleur de l'événement. J'étais invitée à donner une conférence et à animer deux ateliers pour un colloque sur les rêves à l'extérieur de Montréal. J'accepte cette proposition avec enthousiasme. Un mois avant l'événement, je fais le rêve suivant.

Le colloque annulé

Je reçois le téléphone d'une organisatrice du colloque qui m'annonce que tout est annulé. Elle me communique les causes de cette annulation. Je suis surprise.

Sentiment final: acceptation sereine

Même si cette éventualité me paraissait peu probable, j'ai décidé de tenir compte de cette information en gardant une ouverture vers d'autres activités lors du week-end en question. La veille de l'événement, je reçois un appel de dernière minute qui m'informe de l'annulation du colloque. Malgré une certaine déception à cause de la longue préparation que tout cela avait nécessité, je suis demeurée sereine. Mon acceptation provenait du rêve fait un mois auparavant qui m'avait laissé entrevoir cette possibilité. De plus, les raisons invoquées pour l'annulation étaient identiques à celle du rêve. Je ne pouvais que remercier mes nuits de cette information précieuse qui m'a permis de réagir positivement.

Les rêves d'enquête

Tel un agent secret qui infiltre le milieu des «affaires intérieures», le rêve se glisse dans notre univers intime pour dénicher des indices précieux et pour nous aider à mener à terme un plan important. Les rêves d'enquête nous permettent d'explorer des zones occultées de notre personnalité ou des recoins cachés de notre individualité. Cette investigation nous fait découvrir des talents nouveaux, des aptitudes inexploitées et des habiletés inconnues. En osant sonder nos rêves, nous obtenons des réponses souvent surprenantes et parfois insolites.

Odette, une secrétaire de direction en année sabbatique, se questionne sur sa mission personnelle. Elle fait le postulat suivant: «*Quel est le talent dominant que je possède avec lequel je peux servir l'humanité?*» Elle reçoit cette information.

Le pont

> *Je dois traverser un pont qui relie les deux rives d'un fleuve près de chez moi. Il est très étroit, d'une largeur de 20 centimètres environ. Ce pont construit à fleur d'eau ne peut être traversé que par une seule personne. Mon conjoint me dit qu'il est dangereux car des baleines peuvent s'y échouer. Je décide de le traverser sans crainte pour rejoindre l'autre rive.*
>
> *Sentiments finals: confiance, certitude que je suis la seule à pouvoir utiliser ce pont*

Odette a réalisé que sa force réside dans sa capacité de relier les choses, de relier les gens et de relier les idées. Ceci l'a aidé à identifier la nature de sa mission personnelle: être un pont pour son employeur, pour sa famille et pour ses amis.

Dans une dimension plus sentimentale, le rêve d'enquête permet d'explorer des possibilités du futur. Rachel, célibataire de 33 ans, n'a pas réussi à s'engager dans une relation stable à cause de sa peur de perdre son autonomie. Croyant se sentir maintenant prête pour un essai éventuel, elle va vérifier dans ses rêves. Elle fait le postulat suivant: «*Cette nuit, je vérifie mes possibilités futures en amour.*»

Le choix

> *On me présente deux choix possibles concernant un lieu où habiter. Au premier choix, je peux m'installer dans une maison confortable et éloignée de la route. Je sais que rien ne viendra me déranger ni me distraire dans ce lieu isolé de tout.*

La deuxième possibilité propose une vie à deux dans une maison sur le bord d'une route achalandée. Ce lieu étant accessible à tous, il est au cœur de l'action. Je suis heureuse avec l'homme qui habite avec moi. Soudain mon conjoint doit partir en voyage. En signe de fidélité et de gage d'amour, je lui offre un petit jonc serti de diamants.

Sentiments finals: amour, fidélité et vitalité

Suite à ce rêve, Rachel a noté dans son journal les impressions suivantes: «*J'ai le sentiment d'avoir essayé toutes sortes d'avenues possibles afin de faire un choix entre la tranquillité et l'action. Dans l'action, je suis associée à un homme que j'aime beaucoup et qui voyage. Je le soutiens dans ses expériences et cela me donne de la vitalité.*»

En effet, huit mois plus tard, un homme s'est présenté dans sa vie avec le désir de s'engager dans une relation stable. Devant ce nouveau choix, Rachel a opté pour la vie à deux dans l'action et la confiance mutuelle.

Comme on le voit, le rêve d'enquête est aussi un moyen d'inspecter les causes possibles d'un délai particulier. *Pourquoi tel événement souhaité ne se produit-il pas? Comment puis-je favoriser telle situation? À qui dois-je m'adresser pour obtenir telle information?* Le sommeil se transforme en détective futé qui sait trouver des solutions utiles si nous osons induire le rêve nécessaire.

Un jour, j'étais aux prises avec une décision que je regrettais, aussi ai-je fait appel au rêve d'enquête. On m'avait demandé de donner une conférence à une date qui, en fait, ne me convenait pas et j'avais quand même accepté. J'hésitais donc entre le fait de rappeler la personne pour lui transmettre mon refus, ce qui risquait de la décevoir, ou d'accepter l'entente et en être déçue moi-même. La date qu'on me proposait correspondait à une période que j'avais d'ores et déjà réservée au repos et à l'écriture. J'ai donc fait le postulat suivant: «*Cette nuit, je vérifie quelle sera la meilleure décision à prendre pour l'offre de M*me X.»

Le troisième choix

*Je suis en compagnie de M*me *X. Elle me propose quelque chose dont je ne me souviens pas exactement la nature et je refuse.*

Elle me fait une seconde proposition et je la refuse de nouveau. Finalement, elle en fait une troisième que j'accepte avec joie. Nous sommes satisfaites toutes les deux.

Sentiments finals: joie et complicité

Grâce à ce rêve, j'eus le courage de téléphoner à la dame en question et de lui exprimer mon malaise d'avoir accepté notre entente antérieure puisque le moment choisi ne me convenait pas vraiment. Elle me proposa alors spontanément un deuxième choix qui ne me satisfaisait toujours pas. Elle m'offrit alors une troisième possibilité qui correspondait parfaitement à mes attentes. Ce fut une décision bénéfique et le rêve avait vu juste.

Les rêves d'enquête contribuent aussi à nous faire découvrir de nouveaux talents et des aptitudes inexplorées. Notre créativité est illimitée et nous sous-estimons son potentiel d'adaptation.

Dans cette optique, le rêve nous propose plusieurs métaphores illustrant une réalité probable qui sème dans notre conscience des possibilités futures. Par exemple, une mère de famille qui se voit en rêve donner des cours de cuisine pourrait faire le lien entre sa passion de la nourriture et ses capacités d'enseigner qu'elle a développées en éduquant ses enfants. Ou un employé salarié qui rêve à une situation dans laquelle il est en charge d'une grande entreprise pourrait se découvrir des habiletés d'entrepreneur. Ou encore, une infirmière peut déceler dans ses rêves des prédispositions pour parler en public en se voyant animer des conférences sur la santé à un auditoire intéressé.

Nos rêves nous comblent de surprises qui nous attendent au détour d'une image significative, d'un scénario éloquent ou d'une aventure inspirante. En gardant un œil vigilant sur nos contenus oniriques, nous pourrons découvrir des aptitudes nouvelles et des habiletés cachées.

Claude, un chef d'entreprise depuis plusieurs années, a choisi de se réorienter professionnellement. Après un burn-out et un divorce, il a commencé à interroger ses rêves. Sa passion pour le cinéma jumelée à sa vision d'être un auteur de scénario de film l'ont conduit à cette enquête. Après avoir identifié sa nouvelle passion, il s'est permis d'avoir une vision claire de son futur. Il a fait le postulat suivant pendant plusieurs jours: *Cette nuit, je solidifie ma vision.* Cet exercice l'a conduit à nourrir avec davantage de force sa vision reliée à sa passion du cinéma. Il ne lui reste plus qu'à établir un plan d'action pour permettre à sa vision de se réaliser.

Caroline, la gestionnaire d'une grande entreprise, a fait le postulat suivant: *Cette nuit, je découvre mes talents.*

La formation et la gerbe de blé

À mon lieu de travail, je viens de recevoir une formation sur des techniques de vente. Une fois le cours terminé, je me rends à la douche et je constate soudain que je n'ai pas de documents écrits car personne n'a prévu de m'en garder une photocopie. Je suis contrariée car d'autres l'ont eu à ma place.

Je dois maintenant me vêtir. Je sors et j'emprunte les chemins d'un village que nous avions arpenté pendant la formation. Le temps presse et je dois accélérer le pas pour partir. Heureusement que j'ai appris à semer des graines pour faciliter les déplacements d'une rue à l'autre.

Je décide alors de prendre une gerbe de blé pour m'aider à me rendre plus rapidement à destination. Je la plante très profondément dans le sol. Je réalise soudain que je m'y suis prise trop tard et je sais aussi que c'est la graine et non la gerbe de blé que je dois enfouir dans la terre.

Je poursuis donc mon chemin par mes propres moyens maintenant. Ma fille de 6 ans m'accompagne. Nous montons une colline puis, nous devons nous jeter à l'eau car cela fait partie de notre route. Ma fille me fait part de sa peur puis se lance dans le lac. Moi je n'ose pas exprimer mes craintes et je me jette aussi à l'eau, un peu plus loin cependant, dans un endroit où je me sens plus à l'aise.

Sentiment final: impatience de passer à l'action

Au réveil, la rêveuse a noté cette réflexion: «*J'ai le privilège de recevoir des cours et d'avoir les éducateurs nécessaires sur ma route. Pour mieux prendre et comprendre leurs enseignements, je dois faire des choix et laisser tomber des choses (le document de cours donné aux autres et non à moi). J'ai du pain sur la planche (gerbe de blé). Je dois semer de façon adéquate ce que je veux récolter pour façonner ma vie. Le pain de la vie provient du grain de blé semé avec amour et patience.*» La rêveuse réalise aussi que c'est en se jetant à l'eau qu'elle avancera vers ses objectifs de vie.

En plus des signes de jour pour nous guider, nous avons aussi les rêves de nuit. Ces indices peuvent arriver de différentes façons par des rêves d'information et par des rêves d'enquête.

Chapitre 5

Apprendre à vaincre ses peurs

Dans le processus de vérification de notre mission personnelle, nous en arrivons inévitablement à un face à face avec nos peurs. Celles qui ralentissent notre avancée, celles qui entravent notre évolution et celles qui nous font dévier de notre objectif de vie.

En faisant le bilan de nos peurs, nous osons regarder de plus près ce qui se passe dans nos univers intérieurs. La partie rationnelle entre en communication avec la partie émotive, la tête contacte le cœur pour mieux comprendre. Cette rencontre permet de mieux nous connaître dans toutes les facettes de notre personnalité: nos faiblesses et nos forces, nos doutes et nos certitudes, nos craintes et nos espoirs.

Pour acquérir la maîtrise et accomplir notre plan de vie, il sera essentiel de vaincre nos peurs. En les identifiant d'abord, nous pouvons mieux les affronter pour ensuite les dépasser.

Toute évolution comporte des tests et des épreuves. Dans l'adversité, nous sommes exposés à différentes peurs. En voici quelques-unes: la peur du changement, de l'échec, de l'engagement, du jugement, et même la peur de la réussite. Ces appréhensions nous permettent d'évaluer nos acquis et nos manques. Elles servent aussi de catalyseur pour développer nos forces intérieures et découvrir nos capacités cachées.

La peur du changement

Une des premières peurs à affronter est celle du changement. À cause de sa nature dynamique, la vie nous présente une suite ininterrompue de transformations. Dans chacune d'elles, nous devons faire face aux changements qui résultent de l'évolution en cours.

Pour l'enfant en apprentissage, les changements sont une source d'excitation et de plaisir: un nouveau jeu, un environnement inexploré, une visite inhabituelle, etc. Toute nouveauté pique sa curiosité, active ses capacités d'adaptation et stimule son imagination.

D'autre part, avec l'âge et les habitudes acquises, l'appréhension face aux changements s'immisce subtilement dans nos comportements humains. Bien installés dans nos zones de confort, nous avons appris à accepter les gestes répétitifs qui font de nous des automates: *métro, boulot, dodo.*

Au fil des années, nous adoptons ainsi des habitudes qui nous sécurisent dans la routine prévisible. Dans le connu, il n'y a pas d'efforts d'adaptation car on sait d'avance les étapes à franchir. Ce phénomène engendré par la répétition procure une satisfaction temporaire, celle d'une sécurité illusoire. Les changements étant pratiquement absents, nous nous sentons en confiance.

Cependant, la routine produit un effet peu désirable: l'inertie. Moins on bouge, moins on a le goût d'avancer. Plus la stabilité est présente, plus il est difficile de s'acclimater au nouveau. On craint alors les changements car ils importunent.

Un jour ou l'autre, il faudra cependant accepter les transformations inévitables car elles font partie intégrante de la vie. Que ce soit dans les petites confusions ou dans les grands bouleversements, la vie nous fait évoluer afin de découvrir notre potentiel spirituel. Dans notre essence divine nous sommes des êtres invincibles, immortels et illimités.

Qu'il s'agisse d'une simple adaptation comme d'un nouveau régime alimentaire ou d'une grande transformation telle une réorientation de carrière, les changements sont à prévoir. Petits ou grands, ils demandent une adaptation nouvelle.

En fait, le changement est le sport de l'âme. La partie divine en soi, l'âme, a la capacité de s'adapter à toutes les conditions. Lors d'imprévus, l'âme fait appel à sa créativité pour composer avec les nouvelles situations. Ceci la garde en forme. Vaut mieux alors accepter sereinement le changement car il est un fortifiant spirituel. De plus, dans le nouveau, tout devient possible car l'énergie créatrice veille à nous procurer les conditions idéales pour notre épanouissement.

La peur de l'échec

La deuxième peur qui paralyse notre poussée vers l'action est la peur de l'échec. *Le projet va-t-il fonctionner? Serai-je capable de le mener à terme? Qu'arrivera-t-il si je n'y arrive pas?* Autant de questions qui neutralisent nos forces et nous empêchent d'avancer. L'inquiétude qui découle de cette peur est corrosive pour le mental. Les pensées sont tellement occupées à questionner qu'elles oublient de se concentrer sur les réponses possibles.

En se souvenant de ceci: *«Il n'y a qu'une seule chose qui puisse rendre un rêve impossible, c'est la peur d'échouer»*[1], nous pouvons désamorcer cette peur. Ainsi, il sera plus facile d'oser et de risquer pour avoir la chance de réussir.

En somme, l'échec est souvent une victoire déguisée car elle camoufle l'audace, la persévérance et l'endurance. Ces ingrédients sont essentiels à toute forme de maîtrise. Échouer est une expérience qui procure un bagage inestimable. Elle donne de la force et du courage. C'est d'ailleurs par la discipline que nous apprenons à marcher, à danser, et à patiner. Nos nombreux essais se sont souvent soldés par des insuccès: tomber, faire un faux pas, chuter. Ces erreurs de parcours nous ont enseigné la valeur de l'effort. La maîtrise de notre corps en est le résultat final.

L'échec peut donc devenir un tremplin vers le succès. Combien de gens d'affaires ont vécu une ou plusieurs défaites financières pour arriver enfin à des postes de direction, enrichis d'une expérience inestimable? Soyons reconnaissants à l'échec de nous enseigner de façon aussi efficace.

1. Paolo Cœlho. *L'Alchismiste*, Éditions Anne Carrière, Paris, 1994, p. 219.

La peur de l'engagement

Cette peur assez répandue modère les désirs et tue la passion. L'élan du départ est bientôt ralenti par la crainte de s'engager plus à fond dans nos objectifs individuels.

L'engagement suscite l'appréhension parce qu'il demande une certaine implication qui, à son tour, exige de nouvelles responsabilités. S'engager dans une relation amoureuse, un projet social ou une activité professionnelle sont autant de situations à risques pour la personne qui craint les liens ultérieurs.

Les questions qui jaillissent devant une nouvelle implication sont: *Vais-je perdre ma liberté? Qui dépendra de moi? Quelles sont les responsabilités qui s'ajouteront aux anciennes déjà en place?*

S'engager dans sa mission personnelle peut provoquer cette peur légitime. Cependant, il bon de savoir que l'engagement le plus important de notre vie est justement celui relié à notre raison d'être. Les responsabilités sous-jacentes deviennent un privilège car elles font partie de notre plan de vie. Donner un sens à sa vie, c'est s'engager à respecter sa direction choisie.

La peur de l'inconnu

La peur de l'inconnu fait aussi de nombreux ravages. Elle tue le goût de l'aventure et neutralise le courage. Devant l'incertitude, nous optons souvent pour le connu par peur de faire un choix pire que les conditions antérieures. *Et si j'aimais moins ce nouveau travail? Comment revenir en arrière si je ne suis pas bien? Qu'est-ce qui m'attend après ce changement?* Tout ce questionnement nous fait manquer des occasions précieuses qui risquent par la suite de ne plus se présenter. Pour contrer cette peur, nous pouvons développer l'audace.

En s'exposant à l'inconnu de façon régulière, nous nous entraînons à être flexible et audacieux. Changer de coiffeur, emprunter un trajet différent pour aller au travail, goûter de nouveaux plats au restaurant, expérimenter un sport plus difficile, sont autant de moyens pour apprivoiser l'inconnu.

En devenant à l'aise et confiants devant l'inconnu, nous canalisons mieux notre énergie pour l'investir dans la résolution de problème plutôt que pour la dépenser à résister au changement. En résistant, nous gaspillons des forces qui nous seraient pourtant utiles pour agir selon notre plan d'action.

Il est préférable de laisser l'Univers orchestrer les circonstances nécessaires pour réaliser nos objectifs et ainsi utiliser notre détermination pour visualiser les résultats souhaités. Grâce à cette confiance, une ouverture intérieure se crée afin de laisser passer la joie du moment présent. Nous évitons ainsi d'anticiper l'avenir de façon négative. Comme l'enfant explore l'inconnu avec excitation, nous retrouvons notre capacité d'émerveillement devant des situations inattendues.

La peur du jugement

Une autre peur provient de l'importance que nous donnons à l'opinion des autres et c'est la peur du jugement. *Que vont penser mes voisins? Les gens seront-ils d'accord avec mes choix?* L'avis des autres revêt trop d'importance et nous devenons «l'effet de leur appréciation». Victimes des préjugés d'autrui, nous tombons alors dans le piège du manque de confiance en soi, et l'approbation des autres devient une nécessité.

En vérité, la peur du jugement augmente notre insécurité et nous empêche d'oser. Pour nous immuniser contre la peur du jugement, il est nécessaire d'endosser uniquement ce qui nous appartient, c'est-à-dire notre propre appréciation. Il s'agit de vérifier de l'intérieur, par l'écoute de l'intuition et de nos rêves de nuit, pour ressentir la pertinence de nos choix et de nos décisions.

La peur du ridicule découle de la peur du jugement. *Va-t-on rire de moi? Serais-je à la hauteur des attentes de mes collègues? De quoi vais-je avoir l'air si je fais une erreur?* Voilà en fait des questions inutiles car en réalité nous sommes les seuls à décider de l'issue de toute initiative. Et n'oublions surtout pas que: *«Qui ne risque rien n'a rien!»*

L'expérience acquise est le critère le plus important. *Qu'ai-je appris de cette tentative? Quelles sont les forces que j'ai développées dans cette aventure? Comment profiter des leçons intégrées?* En dépassant la peur du ridicule nous recevons la sagesse de l'expérience.

La peur de la réussite

Il est un dernier piège à identifier pour avancer plus librement vers sa mission personnelle et c'est la peur de réussir. *Ma vie sera-t-elle différente si j'obtiens le poste désiré? Comment vais-je réagir devant le succès? La réussite va-t-elle me déstabiliser?* Tout ce questionnement génère parfois une inquiétude paralysante. Comment l'éviter?

La peur de la réussite s'infiltre de façon insidieuse dans notre psyché par une perception erronée provenant de différentes causes. Une de celles-ci est la fausse croyance que l'argent n'est pas noble. En raison d'une incompréhension de certains préceptes religieux, nous vivons avec la certitude que la pauvreté nous rend plus spirituels aux yeux de Dieu et nous craignons l'abondance. Selon certaines doctrines, le royaume des cieux ne semble pas ouvert aux gens riches.

De nature culturelle, la croyance que la richesse risque de nous faire perdre des amis rend la tâche encore plus difficile. Nous avons parfois connu une personne qui a récolté la solitude après l'acquisition de richesses matérielles. Ce souvenir peut laisser une saveur désagréable devant l'éventualité du succès.

Vous pouvez aussi avoir peur de réussir en raison d'expériences amoureuses négatives. Une réussite en affaires qui a rendu un homme malheureux en mariage en est un exemple. À quoi sert le succès si l'amour s'éloigne de nous? Ainsi, pour certaines personnes, la réussite entraîne des changements négatifs. Cette vision faussée provoque la crainte de l'inconnu et nous ramène à l'alternative du *statu quo*. La menace du changement réapparaît donc en créant des blocages dans notre désir d'avancer.

De cette façon, la ronde des peurs reprend ainsi sa ritournelle et nous entraîne parfois dans un cercle vicieux qui paralyse notre créativité et notre audace. Il est important de désamorcer cette réaction en chaîne par l'identification du déclencheur de nos craintes.

Fort heureusement, nous avons nos rêves pour nous refléter la nature de nos peurs et pour nous exercer à les dépasser grâce au rêve lucide. Le rêve lucide est celui dans lequel nous avons conscience de rêver. Nous pouvons alors modifier le scénario du rêve afin de créer une issue plus intéressante comme celle de changer un monstre en allié ou de faire face à un adversaire par la force au lieu de fuir et de s'éveiller en panique.

Nos scénarios de nuit sont un terrain d'entraînement pour pratiquer le courage, la confiance et la flexibilité. En triomphant de nos peurs nous dominons les influences négatives qui nous gardent prisonniers de l'illusion. Ces peurs peuvent être symbolisées par des personnages menaçants, des situations dangereuses ou des objets terrifiants. Il est essentiel de les affronter pour les dépasser.

Vaincre l'ennemi onirique, s'en faire un allié et lui demander un cadeau sont les étapes que les Sénoïs, une tribu de Malaisie, enseignent aux jeunes enfants dès qu'ils peuvent raconter leurs rêves. Ils apprennent à affronter toute forme de danger onirique avec courage et force. Cette technique favorise chez eux un équilibre psychique hautement bénéfique dans leur vie d'adulte. Ils sont ainsi plus créatifs et pacifiques. Leur maturité affective les démarque des tribus avoisinantes.

Prendre l'initiative de profiter du sommeil pour vaincre ses peurs, cela nous conduit à une maîtrise accélérée de notre potentiel individuel. En effet, nous bénéficions chaque nuit d'une période d'entraînement privilégiée pour travailler sur nos faiblesses et les transformer en forces. Ceci nous amène à expérimenter des rêves de dépassement et de victoire.

Les rêves de dépassement

Pour réussir à marcher, le jeune enfant se dépasse sans cesse. Il fait chaque jour une nouvelle tentative pour se tenir sur ses deux jambes et conserver son équilibre. Petit à petit, il essaie, tombe et se relève. Puis, un beau matin, il réussit. Il marche seul. Le même processus se poursuit dans tous les autres apprentissages de notre vie: parler, lire et écrire. Combien d'erreurs avons-nous faites avant de savoir calculer correctement? La méthode d'essais et d'erreurs est encore la meilleure école de la vie.

Rendus à l'âge adulte, osons-nous encore faire des tentatives risquées? Avons-nous le courage d'accomplir d'autres exploits qui demandent autant d'efforts? Les habitudes et la routine nous éloignent du dépassement. Nous évitons les défis: aucun obstacle à surmonter, pas de danger à l'horizon. Nous fonctionnons alors en automates.

Heureusement, le rêve nous secoue de temps en temps. Des scénarios où l'action nous pousse au dépassement sont des cadeaux de la nuit. Grâce à un peu d'entraînement face au danger, notre courage s'éveille à nouveau. Un test de persévérance, une épreuve de témérité, ou une pratique de hardiesse sont des moments précieux pour mesurer nos forces intérieures.

À l'été 1984, j'ai pratiqué le parachutisme durant quelques mois et j'ai dû affronter la peur du vide durant les 24 premiers sauts effectués dans un état de terreur presque permanent. Durant cette période, mes rêves de nuit sont venus à la rescousse pour m'offrir un entraînement supplémentaire. En rêve, je sautais d'abord avec la même frayeur que le jour. Puis, peu à peu, les scénarios devenaient moins terrifiants. La confiance qui se construisait pas à pas dans mes sauts nocturnes se répercutait par la suite dans ma pratique diurne.

Lors d'une autre situation de nature plus émotive cette fois-ci, je devais faire face à un conflit qui déclenchait en moi des sentiments peu agréables. Ceci me rappelait une douleur passée. Allai-je être emportée encore une fois par une nouvelle vague d'émotions déstabilisantes? J'ai alors choisi de travailler sur cet inconfort par le rêve induit en faisant le postulat suivant: *«Cette nuit, je vérifie comment faire face à la situation dérangeante.»*

Le surfeur heureux

Je suis observatrice d'une scène qui se déroule au bord de la mer. Un jeune homme reçoit un entraînement de surf. Il hésite à monter sur sa planche car cela lui semble impossible à accomplir. Il a terriblement peur. Son professeur insiste pour qu'il essaie. Il fait une première tentative et, à sa grande surprise, il réussit. Il se laisse porter par une vague immense en gardant son équilibre. Il est tellement heureux qu'il crie sa joie à tue-tête afin que tout le monde l'entende. Il jubile. Il fait une seconde tentative et il réussit encore. Je me réjouis avec lui.

Sentiments finals: bonheur et dépassement

En notant mon rêve au réveil, j'ai pris conscience que je pouvais affronter la vague émotive comme le surfeur inquiet devenu audacieux (*une partie de moi*). En prenant la situation de front et en l'acceptant, je pourrai me rendre jusqu'au rivage saine et sauve. La suite des événements a confirmé la nature informative de ce rêve de dépassement.

Que ce soit pour développer l'endurance, l'efficacité ou la puissance, les rêves de dépassement nous accompagnent chaque nuit si nous le désirons. Il suffit de s'ouvrir à leur présence et de bénéficier de leur enseignement. En validant ces rêves, nous profitons d'un apprentissage supplémentaire.

Valider un rêve implique l'acceptation dans notre conscience de veille de la nature réelle de ce qui s'est passé dans la conscience de rêve. À cause de la nature irrationnelle du rêve, nous avons souvent tendance à le rejeter car il n'entre pas dans la «normalité» de notre logique: le temps et l'espace ne correspondent pas aux données habituelles. Et pourtant, c'est justement à cause de sa capacité de transcender les lois physiques que le rêve nous aide tant à dépasser nos propres limites.

Les scénarios oniriques fonctionnent en concordance avec la loi d'économie: le maximum d'informations dans un minimum de temps. Ainsi, on passe d'une saison à l'autre en l'espace d'une seconde, on change d'endroit instantanément, et les personnages se transforment sans cesse. Le déroulement est semblable au montage d'un film qui doit dévoiler uniquement les scènes nécessaires pour illustrer l'intrigue. Cette technique-cinéma est la même qui prévaut dans nos scénarios nocturnes: seulement l'essentiel nous est dévoilé.

En fait, les rêves de dépassement nous réconcilient avec notre pouvoir divin et nos forces cachées. Ils nous démontrent des capacités insoupçonnées que nous n'avions pas cru possibles auparavant. Grâce à ces rêves, nous accédons peu à peu à des expériences de victoire, tant sur nous-mêmes que sur les autres.

Les rêves de victoire

Certes, tout scénario avec une fin heureuse nous fait apprivoiser la victoire. Même le cauchemar le plus terrible, dont la fin aboutit à un sentiment heureux, est un rêve qui démontre notre capacité de triompher.

Peu importe que ce soit un triomphe sur des peurs paralysantes, sur des obstacles imprévus, sur des difficultés incontournables ou sur des croyances négatives, cette réussite n'en demeure pas moins une preuve de notre pouvoir d'action. À cet effet, voici l'exemple d'un postulat qui a provoqué un rêve de victoire. Dans mon journal de rêves j'avais écrit: *«Je m'ouvre à de nouvelles croyances positives.»*

La ruse

J'observe un homme qui élimine ses adversaires sans merci. Il semble très dangereux et tout le monde le craint. Soudain, c'est à mon tour de l'affronter. Après un dur combat, je réussis à le déjouer par différentes tactiques. Je constate alors qu'il n'est plus menaçant pour moi.

Sentiment final: victoire

En reliant le postulat et le rêve, j'ai compris que ma décision de travailler avec des croyances positives allait me conduire vers une victoire après un dur combat. J'en ai déduit qu'en déjouant le mental saboteur (*l'homme dangereux que tout le monde craint*), j'allais éliminer les menaces de vieilles croyances devenues désuètes.

La victoire peut aussi refléter la capacité de s'approprier de nouveau son pouvoir personnel en période de vulnérabilité. Suite à une déception sentimentale dans une relation sans issue, j'avais induit un rêve de guérison pour retrouver ma paix intérieure le plus tôt possible. En voici le résultat avec le postulat suivant: *«Je guéris mes plaies émotionnelles.»*

L'évasion réussie

Je vois deux enfants emprisonnés dans un lieu lugubre et sombre. Je décide de les aider en planifiant une évasion pour eux. Grâce à un tunnel souterrain dont je connais l'existence, les enfants se glissent à l'extérieur. Ils retrouvent la liberté.

Sentiment final: réussite

Mes impressions au réveil étaient: *«J'ai libéré des sentiments naissants (enfants) qui étaient emprisonnés dans une relation sans issue (un espace sans lumière). Je retrouve la liberté dans ma vie émotionnelle.»*

Certains rêves de victoire nous enseignent des techniques de réussite. Tout en rehaussant notre estime personnelle, ils nous préparent aussi à des attitudes aidantes pour le futur. C'est ce que le rêve suivant m'a appris dans une période où je manquais de discipline pour écrire quotidiennement.

La victoire avec et sans effort

Je me joins à un groupe de personnes pour une course à bicyclette. Les participants sont jeunes ou vieux, hommes ou femmes. Dès le départ, je sais que le secret est de donner le meilleur rendement au début en conservant par la suite un rythme régulier afin d'éviter le sprint final qui épuise.

Je pédale avec un effort continu et je me repose dans les descentes. J'arrive au fil d'arrivée la première et sans être à bout de souffle. Je suis contente de ma performance.

Ensuite, avec le groupe, je vais voir les trophées qui seront distribués plus tard. Le mien est là mais sans mon nom dessus. Cela ne me dérange pas car je n'ai pas fait la course pour les honneurs mais davantage pour mon estime personnelle.

Sentiments finals: heureuse et détachée

Au réveil, j'ai noté les impressions suivantes: *«Il faut faire des efforts continus pour gagner. En évitant d'attendre à la fin de mes délais pour accomplir le travail demandé, je peux atteindre la victoire sans épuisement et je peux demeurer détachée des honneurs, car je le fais d'abord pour moi.»* Je me suis donc remise à l'écriture, un peu chaque jour, sans attendre à la dernière minute pour agir. Un petit effort continu est moins exténuant qu'un grand effort final.

Nos rêves nous guident vers nos objectifs individuels. Notre engagement à accomplir notre mission personnelle détermine l'aide que nous pouvons recevoir. Les rêves y veillent avec une précision étonnante si nous osons les noter et les relire.

L'aventure au quotidien

«Qui ne risque rien n'a rien!» On a beau se le répéter, mais il n'en reste pas moins qu'une certaine crainte demeure devant l'aventure qui comporte toujours une part d'inconnu et de risque. Pour dépasser cette peur légitime, il est essentiel de pratiquer étape par étape.

Au fond, le meilleur moyen d'apprivoiser l'inconnu et de vaincre peu à peu ses peurs, est d'oser l'aventure au quotidien. Celle-ci nous offre de multiples occasions de nous entraîner à oser: explorer un parcours inconnu, risquer une recette inédite, tenter un geste de réconciliation, s'engager dans une nouvelle relation d'affaires ou sentimentale, se permettre un achat audacieux.

Somme toute, le goût de l'aventure se développe avec l'expérience. En chacun de nous dort un aventurier intrépide et courageux. Pour l'éveiller, il suffit de se placer dans des situations dont les risques excitent notre vigilance. Une petite dose d'intrigue chaque jour nous procure la souplesse nécessaire pour faire face à l'inconnu et déloge peu à peu les vieilles peurs qui paralysent la capacité de réagir.

Un Québécois, François-Guy Thivierge, entrepreneur et alpiniste, le décrit très bien lorsqu'il pratique son sport préféré. Après s'être attaqué à la plus grande paroi verticale en haute altitude du monde, le *Bhagirathi*, montagne sacrée du Tibet située dans l'Himalaya indien, il a confié ceci: *«Quand j'ai la chance d'aller au bout de moi-même, je me sens exister. Je déteste vivre dans le confort de la sécurité. Vibrer s'avère essentiel pour moi. Prendre des risques, affronter l'inconnu et pousser la machine à fond me permettent de mieux me connaître.»*[1]

1. Luc Richer. *«Gravir la montagne sacrée»*, magazine *Vie et Lumière*. Vol. VI, nº 4, septembre 1997, p. 24.

Pour la majorité d'entre nous, le goût de l'aventure se vit généralement dans un contexte plus ordinaire, comme emprunter un trajet inconnu pour se rendre à une destination habituelle, essayer un nouveau parfum ou consulter un thérapeute aux approches innovatrices. L'important n'est pas d'aller au bout du monde mais bien d'aller au bout de soi. Les découvertes qui nous y attendent sont surprenantes.

Pour ce faire, l'accomplissement de notre mission personnelle exige parfois des renoncements imprévus. En voici quelques-uns : renoncer à la sécurité financière immédiate pour devenir travailleur autonome; abandonner une zone de confort pour explorer un terrain inconnu; lâcher prise d'une habitude désuète pour découvrir des forces nouvelles; abandonner d'anciennes façons de penser pour examiner de nouvelles attitudes. La liste est infinie car dans l'action tout se transforme : l'ancien meurt et le nouveau apparaît.

Cependant, l'aspect difficile du renoncement est le deuil qu'il reste à faire. Cette perte est rarement sans douleur. Quand j'ai décidé de quitter le métier que je pratiquais depuis 24 ans, une partie de moi a ressenti une terrible souffrance se manifestant par des angoisses subites qui montaient sans crier gare. Une amie, qui avait détecté mon malaise, m'aida à désamorcer cette peine dont les séquelles et les relents sabotaient ma joie d'avoir osé agir.

En effet, ma confidente m'incita à écouter ce qui se passait à l'intérieur de moi et soudain des larmes montèrent en vagues déferlantes. Je vis alors une image puissante : j'enlevais mon sarrau blanc de travail et cela causait une douleur aussi vive que si on m'arrachait la peau à vif. En me départissant de ma vieille peau de technologue, j'abandonnais un passé chargé. J'ai alors réalisé que plus de la moitié de ma vie, je l'avais passée en jouant ce rôle et qu'une partie de moi s'était identifiée aux fonctions reliées à mon travail. En abandonnant le milieu hospitalier, je quittais une zone de confort pour avancer vers l'inconnu.

Suite aux conseils de mon amie, j'ai donc lu le merveilleux conte de Paolo Cœlho, *L'Alchimiste*[1], afin de poursuivre ma *légende*

1. Paolo Cœlho. *L'Alchismiste*, Éditions Anne Carrière, Paris, 1994, p. 219.

personnelle. Cette lecture mit du baume sur ma douleur et le temps compléta la guérison finale.

Il n'y a pas que l'aspect douloureux du renoncement que nous pouvons expérimenter quand nous osons l'aventure. Il y a aussi une conséquence positive: l'excitation du nouveau qui se profile à l'horizon. En réalité, la vie a horreur du vide. Dès que nous renonçons à quelque chose, un autre élément se pointe pour combler l'espace libéré. Cette impression de perte est aussitôt remplacée par un sentiment de gain.

Un proverbe soufi dit ceci: «*Quand le cœur pleure ce qu'il a perdu, l'âme rit de ce qu'elle a gagné.*» Il faut tout simplement oser abandonner pour créer un espace à combler. Il ne reste plus ensuite qu'à accueillir le nouveau.

Parmi les nombreux changements auxquels j'ai dû m'adapter au cours des dernières années, certains ont exigé de grands renoncements. Mes rêves de nuit m'ont cependant aidée à les assumer. Dans l'exemple suivant, le changement concernait une nouvelle attitude à adopter dans une relation d'affaires imprévue.

Les anciens programmes s'effacent

Je suis en compagnie de mon père. J'ouvre mon ordinateur portatif pour lui montrer des documents dont je suis si fière. Nous regardons l'écran et je fais défiler l'information. Soudain, les anciens programmes de l'ordinateur s'effacent et de nouveaux apparaissent. Du bout du doigt et avec délicatesse, je manipule les nouveaux dans l'espoir de retrouver les anciens. La tentative est inutile: impossible d'accéder au matériel disparu. J'accepte alors de travailler uniquement avec les plus récents.

Sentiments finals: acceptation et adaptation

Dans mon journal de rêves, j'ai noté la réflexion suivante: *Je renonce aux attitudes du passé (anciens programmes) devenues inutiles pour accéder à une nouvelle façon d'agir. Comme tout est effacé de mon mental (l'ordinateur), je ne peux que faire confiance aux nouvelles pensées (nouveaux programmes) pour aborder les changements en cours.*

Les peurs sont des obstacles sur le parcours de la vie. En les surmontant, nous découvrons nos forces intérieures. Comme l'athlète qui affronte une course à obstacles avec l'attitude du champion, nous pouvons aussi affronter nos peurs avec la détermination du gagnant. De jour ou de nuit, les frayeurs anciennes perdent de leur emprise pour laisser apparaître le courage qui sommeille en nous. Ces peurs auront cependant été utiles à l'éclosion de notre pouvoir illimité.

Chapitre 6

Évaluer l'orientation de sa mission

Que ce soit avec une mission unique ou accompagnée de plusieurs missions secondaires, notre vie prend à l'occasion des directions inattendues. Celles-ci apportent parfois des situations surprenantes qui nous obligent à faire le point sur l'orientation de nos actions: sommes-nous au bon endroit, au bon moment avec les bonnes personnes?

Soumis au vent du changement, nous pouvons nous sentir temporairement désorientés par rapport à nos objectifs de vie. Dans cette tourmente soudaine, il arrive que le doute envahisse nos pensées. Ce doute peut provenir de la peur de faire fausse route, surtout lorsque plusieurs changements sont impliqués dans notre démarche. Le risque de bifurquer vers une destination erronée est possible et peut nous éloigner de nos buts personnels. Comment reconnaître que nous demeurons sur la trajectoire de notre plan de vie? Quels sont les indices qui nous préviennent d'un éloignement ou d'un rapprochement de notre mission personnelle?

Afin d'évaluer correctement l'orientation de notre mission, nous pouvons détecter les symptômes indiquant un éloignement ou un rapprochement de notre raison d'être. Ces symptômes seront des points de repère pour jauger de la pertinence des actions à poser dans le but de s'aligner à nouveau dans la bonne direction.

Les symptômes

À tout moment, lors de changements planifiés ou imprévus, nous pouvons nous repositionner par rapport à nos objectifs de vie. Il est alors important de mesurer la distance qui nous sépare de ceux-ci en examinant certains signes qui se manifestent subitement ou petit à petit.

L'éloignement

Si nous prenons une direction qui nous écarte de notre mission personnelle, les symptômes seront de plus en plus évidents selon le degré d'éloignement. Les cinq principaux indices sont les suivants: l'ennui, l'insatisfaction, les obstacles incontournables, la dépression, et le symptôme ultime, la maladie.

Quand nous réalisons tout à coup que l'ennui commence à s'installer dans le quotidien, nous avons alors deux choix: l'accepter ou le chasser. Si nous l'accueillons, il s'installera insidieusement dans la routine. L'ennui faisant son nid, nous risquons de laisser entrer son grand ami, le désintéressement. Peu à peu, un manque de motivation sera aussi de la partie. Ces trois signes: l'ennui, le désintéressement et le manque de motivation, témoignent d'un éloignement progressif de notre mission personnelle.

Si on n'apporte aucun ajustement, on peut voir apparaître le deuxième indice: l'insatisfaction. On se sent mécontent sans trop savoir pourquoi. Certaines personnes peuvent vivre avec ce sentiment durant de nombreuses années alors que d'autres réagissent en cherchant des exutoires pour camoufler le malaise: le jeu, les emplettes, le sexe, les drogues, etc. Ces dérivatifs risquent de devenir avec le temps des dépendances qui sabotent l'autonomie individuelle. De plus, ils ne règlent pas le problème fondamental: l'insatisfaction profonde.

Un troisième indice très explicite pour nous avertir que nous ne sommes plus sur la trajectoire de notre mission personnelle, c'est la rencontre d'obstacles inévitables. Des difficultés soudaines entravent notre route: un manque de financement, un refus de collaboration, une annulation de projet. Tout se ligue contre nous pour arrêter notre progression. Il peut s'agir de signes avertisseurs pour nous faire réaliser que nous empruntons une mauvaise direction.

En méditant sur le problème ou en consultant nos rêves de nuit, nous pouvons valider la nature de l'information (*objets défectueux, chemin dangereux, personnages menaçants, etc.*). Il ne reste plus qu'à changer l'orientation initiale, à modifier certains choix et à observer par la suite si les embûches disparaissent. Ces signes sont précieux pour respecter notre plan de vie.

Un quatrième indice nous démontre que nous nous éloignons de notre mission personnelle, mais il est cependant de nature plus profonde. Il s'agit de la dépression. Pour certaines personnes cet état d'être est perçu comme une maladie qu'il faut soigner et pour d'autres elle est tout simplement un symptôme dont la cause est importante à établir. En faisant un examen intérieur de ce que l'on vit, on peut détecter des conditions de vie qui ne correspondent plus à nos valeurs actuelles.

Que ce soit une relation de couple inharmonieuse, un travail insatisfaisant ou des amitiés nuisibles, nous devons déterminer les éléments qui nuisent à notre raison d'être. D'ailleurs, dès que les modifications sont apportées, un regain d'enthousiasme témoigne de la pertinence de ces changements. La dépression temporaire a servi de signal d'alarme pour réexaminer sa vie avec plus de perspicacité.

On rencontre un cinquième indice, et non le moindre, pour nous indiquer que nous ne sommes plus sur le parcours de notre mission personnelle: c'est la maladie. Lorsque certains malaises physiques apparaissent – dont la médecine ne peut retracer la cause physiologique – nous devons nous questionner sur leur nature psychologique. Si on trouve la source du malaise avant qu'il ne dégénère en maladie psychosomatique, nous pouvons éviter les conséquences de l'épreuve qui sont plus longues à soigner dans ces conditions-là. Il n'est pas nécessaire d'être malade pour prendre conscience qu'on doit réorienter certains aspects de notre vie. La maladie est cependant le signal ultime pour réagir.

En plus des symptômes possibles signalant un éloignement de notre raison d'être, voyons maintenant ceux qui laissent présager un rapprochement.

Le rapprochement

Dès qu'on se dirige vers notre mission personnelle, cinq indices significatifs tendent à se manifester: le sentiment d'urgence, le goût du dépassement, le désir de partager, la gratitude spontanée et la sérénité authentique.

Le sentiment d'urgence se révèle par la nette impression qu'il n'y a plus de temps à perdre. Il faut agir maintenant, car cela risque d'être trop tard demain. On se sent pressé d'accomplir ce qui nous semble soudain essentiel.

L'énergie pour passer à l'action est motivée par le fait qu'il est impératif de poser certaines actions maintenant, comme offrir sa candidature pour un poste, régler un ancien conflit, se procurer un bouquin traitant de tel sujet, etc. Ces décisions s'avèrent par la suite des gestes essentiels pour atteindre plus facilement les buts désirés.

Par ailleurs, les gens d'action se nourrissent de ce sentiment d'urgence pour réaliser les tâches relatives à leurs fonctions. Ils sont enthousiastes et énergiques. Le plaisir de faire ce qu'ils aiment crée un stress positif qui génère un surplus d'énergie et les incitent à oser continuellement.

Le deuxième symptôme témoignant de la bonne direction empruntée pour accomplir notre mission personnelle est le goût du dépassement. Être heureux de faire un pas de plus, d'oser un effort supplémentaire ou de prendre une initiative nouvelle sont des signes révélateurs. L'enthousiasme ou le plaisir du défi qu'on y met dénote notre joie intérieure d'accomplir ce qui nous stimule le plus.

En fait, le goût du dépassement peut se traduire de différentes façons: s'inscrire à un cours de perfectionnement, se permettre de contacter une personne d'influence, mettre davantage de discipline dans son quotidien, améliorer sa culture dans certains domaines, solliciter une aide supplémentaire.

Le dépassement est un compagnon fidèle dans les étapes d'accomplissement de notre mission personnelle car il dénote la passion intérieure. Que ce soit la mère qui consacre la majorité de son temps à l'éducation de ses enfants ou le directeur d'usine qui augmente ses normes de qualité, chacun a à cœur de donner le meilleur de lui-même ou la meilleure qualité de ses produits.

Cependant, le dépassement prend parfois des chemins moins apparents. En travaillant par exemple sur l'amélioration de nos pensées, nous découvrons une capacité de transformation illimitée qui sera visible plus tard par une meilleure qualité d'être. Des pensées positives et harmonieuses facilitent l'épanouissement de notre potentiel divin. La formule désormais célèbre d'Émile Coué, pharmacien et psychothérapeute français, a d'ailleurs fait ses preuves pour de nombreuses personnes. Elle s'énonce ainsi: *«De jour en jour, à tout point de vue, je vais de mieux en mieux.»* En répétant cette affirmation constructive, nous attirons à nous les circonstances nécessaires pour actualiser cette pensée. C'est ce que nous appelons de l'autosuggestion.

Il existe un troisième signe, témoin du rapprochement de notre raison d'être, et c'est le désir de partager. Si l'ego aime recevoir, l'âme adore donner. Comme la mission personnelle concerne un choix de notre âme, ce goût du partage en nous se manifeste à l'extérieur.

Que ce soit de partager nos biens, nos connaissances ou notre amour, ce désir transpire dans nos actions quotidiennes. Il nous rapproche de notre raison d'être, car il nous permet de contribuer au mieux-être de ceux qui nous entourent: des membres de notre famille, des collègues de travail, des partenaires de sport, des amis ou même des étrangers.

En partageant au fur et à mesure nos acquisitions matérielles ou intellectuelles, nous créons un espace libre qui sera comblé par du nouveau. Plus on donne, plus on reçoit. Cette conséquence est inhérente à la vie et découle du don de soi.

Le quatrième symptôme pour nous signaler que nous sommes au bon endroit au bon moment est la gratitude spontanée. Un élan de reconnaissance monte instinctivement. On remercie pour la chaleur du soleil, pour la beauté d'une fleur, pour le sourire d'un enfant, pour le service d'un ami, pour l'arrivée d'un client. Des petits riens paraissent soudain des trésors. Ces montées subites de gratitude dénotent l'ouverture du cœur qui, à son tour, provient de la joie d'accomplir sa mission personnelle.

En vérité, la gratitude assure un flot continuel d'abondance dans notre vie. Que ce soit l'abondance de rêves, de créativité, de temps ou d'argent, celle-ci amène une source infinie de ressources pour nous aider à cheminer vers nos objectifs spirituels. Le plus beau cadeau n'est-il pas de faire un travail qu'on aime? De gagner sa vie avec ses talents? De partager ce qui nous anime le plus? En prendre conscience apporte déjà un flot de gratitude pour illuminer notre cœur.

De plus, le cinquième indice d'une bonne orientation de sa mission personnelle est la sérénité authentique. Quand nous sommes dans notre véritable raison d'être, une attitude sereine se dégage, provenant du désir d'accomplissement, et ce, malgré les efforts continuels, la persévérance soutenue et la discipline acquise. Chaque initiative prise en harmonie avec nos objectifs de vie provoque une satisfaction intérieure.

Chez les personnes bien engagées dans leur mission personnelle, un regard serein se lit sur leur visage. Elles avancent avec une sorte de ravissement tranquille dans les expériences de tout genre, même les plus troublantes. La vie devient une pièce de théâtre dans laquelle chacun a son rôle à jouer. Les hauts et les bas du quotidien ne semblent pas déstabiliser ces gens sereins, car en tant qu'acteurs de la vie, ils savent que cette scène est temporaire. À tout moment, ils peuvent en modifier le scénario en changeant leur attitude.

Des symptômes en rêve

Nous pouvons aussi capter des informations durant notre sommeil pour évaluer notre distance par rapport à notre mission personnelle. Les métaphores utilisées par le rêve seront différentes pour chacun. Cependant, certains symboles ont tendance à être de nature universelle.

Pour marquer l'éloignement de sa mission personnelle, des scénarios semblables à ceux-ci peuvent apparaître: *avancer avec difficulté; se tromper de trajet; conduire sur des routes qui nous obligent à faire des détours inutiles; se servir d'une boussole qui ne fonctionne plus; perdre sa carte routière, etc*. Toutes ces métaphores laissent supposer que nous ne sommes plus dans la bonne direction ou que nous avons perdu notre chemin.

Il importe davantage de noter dans ces images oniriques le sentiment final ressenti à la dernière scène du rêve. Est-ce de l'indifférence, de la neutralité ou du détachement? Dans ce cas, l'éloignement n'est pas trop grave. En vision globale accessible par le rêve, nous constatons tout simplement le fait afin de prendre des dispositions plus tard.

Par contre, si le sentiment final est plus intense, comme un inconfort désagréable, un profond malaise ou un danger potentiel, nous devons agir plus rapidement car la situation est grave et elle risque de se compliquer davantage. D'ailleurs, des rêves répétitifs se chargeront de sonner l'alarme afin d'éviter des conséquences néfastes.

Dans le cas contraire, celui d'une orientation adéquate vers son objectif de vie, les métaphores peuvent ressembler à ceci: *conduire une voiture sur une route dégagée; rouler en train à toute vitesse sur des rails bien entretenus; voir un magnifique phare qui guide notre avancée; piloter un avion et s'orienter facilement, etc.* Ces symboles nous indiquent que nous cheminons dans la bonne direction.

De plus, les sentiments finals qui accompagnent ces scénarios sont: la facilité, l'aisance, le plaisir, le bonheur, l'euphorie et l'extase. Ces émotions positives démontrent la joie de l'âme qui sait que nous sommes au bon endroit, au bon moment. Ces rêves sont réconfortants en période d'ambiguïté et rassurants durant une phase de doute.

Nous pouvons aussi nous situer dans un cycle de transition, entre une ancienne mission qui s'achève et une nouvelle qui se prépare. Dans ces conditions, certains délais peuvent être nécessaires avant de s'engager totalement dans la direction souhaitée. Des rêves avec la métaphore de l'attente peuvent nous aider à patienter: *être temporairement arrêté devant un passage à niveau; attendre de recevoir un laissez-passer; scruter la route pour trouver un panneau indicateur; être passif dans une antichambre; faire un appel et attendre la réponse, etc.*

En vérité, le sentiment final vient confirmer le symbolisme de la transition. Nous pouvons ressentir ce genre d'émotions: la patience, la persévérance, le courage, la volonté, l'assurance, la certitude ou le calme. Ces métaphores nous aident à traverser la zone provisoire.

Comme on le voit, la nuit est donc un moment privilégié pour se distancer du vécu quotidien et faire un bilan général. Par ces messages en provenance de nos rêves, nous pouvons réévaluer nos actions de jour afin de les orienter dans le sens de l'accomplissement de notre raison d'être.

Voici l'exemple de Jeanine qui a eu le privilège d'avoir un rêve indicatif devant un choix à faire. Professeure depuis plusieurs années dans une grande institution, Jeanine avait ajouté à ses activités un volet nouveau qui la passionnait: l'écriture. Après la publication de son premier livre, elle a continué dans l'enseignement. Plus tard, on offrit aux employés des retraites anticipées. Durant cette période, elle fit le rêve suivant:

La prairie ensoleillée

Je marche en direction de mon travail. Soudain, la route devant moi me montre deux scènes. À droite, je vois l'édifice où je travaille dans une brume épaisse et tout est terne autour, à gauche, une magnifique prairie ensoleillée est remplie de lumière. Je ressens une grande joie à regarder dans cette direction. Je sais que j'ai un choix à faire.

Sentiment final: excitation

Au réveil, Jeanine se doute bien qu'elle doit choisir entre son travail et la préretraite. Malgré l'insécurité du travail d'écriture, elle comprend que sa joie d'aller vers la liberté (*prairie ensoleillée*) est plus excitante que la routine terne du quotidien dans le travail actuel (*brume épaisse*). Peu de temps après, elle saisit l'occasion de quitter l'enseignement pour explorer son nouveau métier d'écrivaine.

En plus des symptômes dénotant un rapprochement ou un éloignement de notre mission, nous pouvons aussi prendre conscience des pièges à éviter pour cheminer avec davantage de perspicacité.

Les pièges à éviter

Parmi les nombreux pièges qui peuvent nous ralentir sur la route menant à notre mission personnelle, on retrouve entre autres la dispersion, le besoin d'approbation et l'attente des conditions parfaites. Chacun de ces écueils nous confronte à notre pouvoir personnel et à notre sincérité profonde.

Il en est de plus subtil, notamment le piège de la dispersion, car il s'infiltre dans nos pensées, nos paroles et nos actions. Sans que cela paraisse, on se laisse dévier par toutes sortes de distractions qui semblent soudain importantes : le ménage à faire, des courses pressantes, des amis à visiter, des lectures dont nous avons soudain le goût.

Cependant, tous ces dérivatifs exigent une certaine quantité d'énergie qui ne sera plus disponible par la suite pour les vraies activités reliées à nos nouveaux engagements. Il faut être vigilant pour différencier les leurres des véritables obligations. Ces dernières font partie de nos responsabilités habituelles qu'il ne faut pas négliger.

Au jour le jour, dans notre quotidien, des situations parasites dispersent sans cesse nos forces et nous limitent dans nos actions : engager des conversations inutiles, regarder la télévision pendant de longues heures, faire des emplettes superflues. Le simple fait d'être conscient de ces distractions aide à les déceler à temps.

Avoir besoin de l'approbation des autres, voilà un autre piège pour freiner notre progression. Cela demande souvent du courage pour oser réaliser ses désirs les plus audacieux. Certaines personnes de notre entourage pourraient ne pas être d'accord avec nos choix pour plusieurs raisons : la peur du changement que cela entraîne pour eux, l'envie, la jalousie, la crainte de notre échec, l'inquiétude de nous perdre, etc. Ces gens bien intentionnés sont souvent inconscients du tort qu'ils nous font par leurs réserves et leurs critiques. Ils projettent sur nous leurs propres peurs. Nos projets leur semblent trop audacieux ou trop risqués. Ils essaient de nous protéger.

Il est alors nécessaire de se passer de cette approbation. Vaut mieux alors se fier à son intuition et à son courage pour foncer dans l'inconnu. Quand la certitude intérieure est présente, nous n'avons pas besoin d'avoir celle des autres. Les gens ont tendance à transposer leurs doutes sur la capacité de réalisation des projets des autres. Cette réaction étant humaine, nous ne pouvons pas leur en vouloir. Cependant, c'est notre devoir de prendre conscience de ces situations émotionnelles. Nous n'avons pas à endosser ce qui ne nous appartient pas mais plutôt à conserver ce qui vient intimement de nous: un désir sincère d'accomplir sa mission personnelle et la certitude de réussir.

Insidieusement, un autre piège limite nos actions orientées vers notre raison d'être, c'est l'attente des conditions parfaites pour agir. Il est fréquent d'entendre des réflexions du genre: «*Je ferai ceci quand j'aurai plus de temps, plus d'argent, plus de force, plus d'aide, plus de compréhension, plus de disponibilité, plus de moyens...*» Et la liste peut s'allonger indéfiniment.

Pendant qu'on attend les conditions idéales pour agir, des occasions précieuses nous échappent. Le besoin de sécurité sabote les élans intuitifs et nous passons à côté de l'essentiel. C'est comme si on attendait l'abondance pour passer à l'action, mais la véritable abondance est de savoir que nous possédons dès maintenant tout ce dont nous avons besoin pour être heureux. La prospérité se manifeste dans le sol fertile de la conscience, là où les pensées sont riches en espoir.

L'un des principes qui régit la prospérité est celui de «*faire comme si*». Quand René Angélil, le gérant de Céline Dion, organisait la carrière de la célèbre chanteuse, il faisait comme si son compte en banque contenait un million de dollars. Les décisions qu'il prenait n'étaient pas influencées par le manque d'argent du moment. Il agissait en fonction d'une carrière à long terme et non en fonction du manque financier à court terme. Son secret était la confiance totale dans le talent de sa protégée.

Beaucoup de gens d'affaires ont réussi en appliquant le même principe. Ils n'ont pas attendu que toutes les conditions soient parfaites pour agir. Nantis d'un minimum d'exigences et d'un maximum de confiance en eux, ils ont foncé vers leurs objectifs. Ce n'est que quelques années plus tard, qu'ils ont réalisé parfois à quel point ils étaient téméraires mais ô combien courageux.

C'est en plongeant dans l'action souvent que nous pouvons découvrir notre potentiel de créativité. Comme l'oiseau doit sauter en bas du nid pour réaliser qu'il est doté d'ailes pour voler, nous devons nous aussi sauter dans le vide de l'inconnu pour déployer nos ailes spirituelles. En volant avec grâce dans cet espace vaste et accueillant qu'est l'action, nous pouvons expérimenter l'extase de la liberté qui nous affranchit des anciennes limites. Nous quittons ainsi le nid douillet de la sécurité pour découvrir l'immensité de notre potentiel créateur.

Prétexter le manque de temps, d'argent ou de moyens sert parfois d'excuses. Ces faux-fuyants ou ces échappatoires pour attendre avant d'agir constituent en fait des moyens de résister au changement. Ce changement est cependant essentiel, car il peut nous conduire au bonheur et à l'accomplissement de soi.

De plus, si nous sommes attentifs à nos rêves, nous pourrons détecter à l'avance les pièges réels. Par le rêve prophétique, nous serons en mesure d'y déceler les embûches à venir. Au réveil, nous devons noter tous les détails mémorisés. Ensuite, nous pourrons valider le rêve en posant des actions qui modifieront les conséquences indésirables observées en rêve. Nous sommes d'ailleurs les seuls juges de la valeur prémonitoire de nos expériences oniriques.

Afin de mieux contourner les pièges semés sur le parcours de notre mission personnelle, nous pouvons bénéficier de quelques trucs utiles.

Des trucs pour réussir

Afin de faciliter l'accomplissement de notre destin spirituel, nous possédons aussi des moyens pratiques.

Apparemment, le premier semble très simple, mais il est pourtant efficace, il consiste à saisir les occasions lorsqu'elles se présentent. Ce sont des occasions uniques qui nous permettent d'entrer dans le courant des événements reliés à nos désirs et nos attentes.

Chaque jour, une multitude d'occasions intéressantes se présentent à nous: acheter un livre sur un sujet inhabituel, parler avec un nouveau voisin, aider un inconnu dans un lieu public, assister à une conférence, échanger avec une personne dans une salle d'attente. Chacune de ces situations peut contenir un germe de créativité qui risque d'éclore dans un projet futur. En restant ouverts aux messages qui s'y trouvent, nous gardons un œil sur des éventualités intéressantes.

On peut aussi favoriser les opportunités. Par exemple, si nous n'avons pas la chance d'exploiter un talent particulier, nous pouvons faire du bénévolat dans le secteur qui nous passionne: le sport, les arts, ou la science. Durant cette activité non rémunérée, nous pourrions ainsi rencontrer des personnes utiles par la suite dans une démarche de demande d'emploi par exemple. De plus, l'expérience acquise durant cette période augmente nos habiletés et notre crédibilité.

Ainsi, une occasion idéale peut aussi prendre la forme d'un cours de perfectionnement qu'on a soudain le goût de suivre. Même si elle ne semble pas indispensable pour l'instant, cette formation peut nous être fort utile dans un avenir plus ou moins rapproché. L'important est de se fier à l'intuition qui nous a incité à nous y inscrire.

Voici un deuxième truc pour réussir sa mission personnelle, c'est d'utiliser sa concentration[1]. Il s'agit de garder l'attention sur l'essentiel. Les détails moins importants seront traités plus tard au moment opportun. Mieux vaut composer efficacement avec ce qui se passe maintenant que de gaspiller son énergie à régler ce qui n'est pas encore arrivé.

Si quelqu'un démarre son entreprise, ce qui importe d'abord c'est d'avoir le financement pour la mettre en marche et d'élaborer un plan d'action solide. Ce qui vient après, comme la gestion des revenus, sera traité à l'étape suivante quand le produit ou les services seront disponibles. Se concentrer sur l'action présente augmente le pouvoir de celle-ci.

Pour avoir une bonne concentration, il faut acquérir une discipline mentale. Des pensées qui sautent d'un sujet à l'autre, au gré des émotions, ne servent pas à grand-chose, sinon à semer la

---

1. Jean-Paul Simard. *La Concentration créatrice*, Éditions de l'Homme, Montréal, 1998, 229 pages.

panique inutilement. L'intellect est un outil extraordinaire lorsqu'il est au service de l'âme mais il peut devenir un tyran quand il est soumis aux caprices des émotions.

Notre capacité à se concentrer sur un travail, sur une activité artistique ou sur un loisir de détente nous permet de donner et de recevoir le maximum de cette occupation. Les pensées parasites n'ont pas d'emprise sur un mental concentré. Dans cet état privilégié, nous devenons tellement absorbés par le moment présent que nous perdons la notion du temps. Plusieurs heures de travail peuvent nous sembler quelques instants de plaisir quand nous sommes concentrés.

Et enfin, un dernier conseil pour favoriser la réussite de nos objectifs de vie, c'est la capacité de faire silence, c'est-à-dire d'écouter la petite voix intérieure qui guide nos pas. La technique est simple: s'asseoir confortablement, fermer les yeux et ne penser à rien de précis. On laisse les images intérieures surgir d'elles-mêmes sans les juger. On écoute les sons environnants sans les analyser.

Cette attitude d'abandon et d'ouverture nous permet de passer de la raison qui dissocie à l'intuition qui unifie, de la pensée analytique qui ne voit que les problèmes à la pensée créatrice qui trouve des solutions. Ce résultat provient du transfert de l'activité du cerveau gauche rationnel à celui du cerveau droit intuitif.

Durant ces moments d'abandon, la perception limitée d'auparavant qui se butait à un problème quelconque se transforme soudain en perception globale contenant la solution recherchée. L'intuition, tel un doux chuchotement en provenance de l'âme, propose des idées géniales ou des visions inspirantes qui aident à résoudre les difficultés du moment.

En étant à l'écoute de ce qui provient de l'intérieur, nous passons d'émetteur à récepteur. Au lieu d'émettre des jugements et des critiques, nous recevons des intuitions et des visions. Celles-ci nous guident avec sagesse dans le labyrinthe des pensées rationnelles. La lumière se fait soudain et les solutions apparaissent.

D'autre part, nous pouvons pratiquer le silence intérieur une ou plusieurs fois par jour, entre 5 et 20 minutes. Au bureau ou dans la voiture, à la maison ou dans un parc, ces moments de grâce nous aident à passer à travers différents stress sans y laisser toutes nos énergies. Chaque période de silence permet de refaire ses forces vitales, émotionnelles et intellectuelles. Ce sont des moments de ressourcement bénéfique pour poursuivre nos occupations quotidiennes.

De plus, un flot de créativité jaillit spontanément de ces moments de silence. Nous en récoltons une plus grande inspiration pour mettre de la joie et de l'humour dans nos responsabilités. Une satisfaction croissante accompagne nos efforts et nous savourons davantage la vie.

Que ce soit l'habileté à saisir les occasions favorables, à gérer notre concentration ou à profiter de périodes de silence intérieur, chacun de ces trucs est un outil qui contribue à l'accomplissement de notre mission personnelle.

TROISIÈME PARTIE

LA SOLIDIFICATION

Nous pouvons solidifier notre mission personnelle en nous réconciliant avec notre nature illimitée et en passant à l'action dans le présent.

Chapitre 7

Se réconcilier avec sa nature illimitée

Puisque nous sommes une âme, nous possédons un pouvoir intérieur infini qui a la possibilité de s'exprimer dans notre vie extérieure. Cette maîtrise s'apprend de vie en vie à partir des multiples expériences qui jalonnent notre vécu. Afin de solidifier cet aspect de notre nature, la vie d'éveil et les rêves de nuit nous ouvrent la voie de l'expérimentation. Chaque nuit, nous vivons des scénarios qui laissent une empreinte indélébile sur nos corps subtils. Les images visionnées et les émotions ressenties nous démontrent notre nature illimitée.

Cependant, pour apprendre à utiliser ce potentiel pour le bien de l'ensemble, un processus de purification se met en place. Il veille à éduquer l'ego qui pourrait être tenté d'utiliser ce pouvoir à des fins personnelles seulement. L'ego immature est centré sur le moi alors que l'âme sage est orientée vers les autres. Un travail de polissage doit donc se faire pour éduquer l'ego afin qu'il soit au service de l'âme.

De plus, durant nos nombreux séjours dans différents véhicules physiques et à travers diverses époques, nous avons cumulé des données de toutes sortes. Les informations reçues de génération en génération sont parfois teintées de faussetés et de préjugés. Un nettoyage s'impose alors pour déloger les idées non conformes à la réalité. *«La quête spirituelle, la route qui mène à la guérison et à la croissance personnelle, est un processus de désintoxication au cours duquel nous prenons conscience et nous nous défaisons de nos croyances négatives, héritage du passé qui empoisonne maintenant le présent.»*[1]

L'adversité, les peines et les épreuves sont des agents purificateurs. Cependant, il n'est pas toujours nécessaire de souffrir pour apprendre. L'observation, la vigilance et la discipline aident à l'apprentissage des lois de l'Univers. En observant la nature ou les individus, en étant à l'écoute de l'intuition et par l'autoanalyse, nous pouvons recevoir tout l'enseignement nécessaire pour cheminer vers nos buts spirituels. Les principes d'observation, de vigilance et de discipline sont aussi applicables à notre vie onirique. Ces trois paramètres nous aident à bénéficier des trésors de la nuit.

Par l'observation de nos personnages de rêve, nous apprenons des leçons inestimables qui nous font découvrir les causes de certaines peurs, les conséquences de certains comportements, et les sentiments reliés à certaines actions. Une immense scène intérieure nous offre des sketches aux multiples dénouements: des montées ou des descentes, des victoires ou des échecs, un accroissement ou une diminution... Les scénarios visionnés démontrent les nombreuses possibilités de l'expérience humaine. Nous assistons en observateurs tout en vivant en acteurs ce cinéma maison.

Par la vigilance, nous pouvons retenir les précieuses leçons de ces rêves vécus dans l'intimité de nos nuits. De plus, si la vigilance se rend jusqu'à la lucidité, nous pouvons aussi modifier le scénario afin de l'ajuster au degré de compréhension et de maîtrise que nous avons atteint. Un cauchemar répétitif peut ainsi se transformer en rêve de plaisir car nous avons compris l'illusion des images menaçantes ou la cause de leur apparition.

Dans un contexte plus agréable, un rêve divertissant peut contenir un message de sagesse. Quelques mots inspirants d'un rêve peuvent devenir les paroles d'une chanson à succès. Paul McCartney, membre du groupe les Beatles, a composé la chanson *Yesterday* à partir d'un rêve. Une intrigue onirique peut servir d'amorce pour un futur roman ou un scénario de film comme ce

1. Marianne Williamson. *La Gloire d'une femme*, Éditions du Roseau, Montréal, 1995, 151 p.

fut le cas pour *Le Choix de Sophie* de l'écrivain américain William Staren et *La Maison aux esprits* de la romancière sud-américaine Isabelle Allende.

Finalement, par la discipline d'écrire nos rêves et celle de les relire régulièrement, nous nous assurons une récolte de trésors inestimables. Les prises de conscience faites en état de rêve sont extrêmement précieuses. Il en est ainsi car le censeur, rigide et actif durant le jour, s'assouplit pendant le sommeil et laisse passer davantage d'informations intuitives. Ainsi, le rêve peut nous offrir la nuit un regard objectif sur notre vécu subjectif des expériences de l'éveil.

D'autre part, nos perceptions de jour sont trop souvent obscurcies par les attentes limitatives et les préjugés négatifs. De plus, la pensée rationnelle compartimente les expériences. Ceci crée un filtre qui limite notre vision juste des événements. La nuit, nous bénéficions de la vision globale, claire et concise, présentée par l'hémisphère droit du cerveau en action durant le sommeil. La vue d'ensemble ainsi offerte nous aide à comprendre, à accepter et à intégrer les leçons de la vie. Ce qui était fragmenté le jour par la pensée cartésienne, devient réunifié en rêve par la pensée intuitive.

Si tout ce travail intérieur s'effectue sans que nous validions les bienfaits reçus, il est possible que nous ayons à reprendre les mêmes expériences. C'est pourquoi il est important de prendre le temps de se connaître par l'autoanalyse. Cet examen intérieur nous fera découvrir un potentiel illimité qui ne demande qu'à s'actualiser dans notre vie d'éveil. Et, grâce au processus de nettoyage intérieur, les anciennes limites disparaîtront plus rapidement. Les rêves de purification nous aident à atteindre ce but.

Les rêves de purification

Dans la découverte de notre nature illimitée, nous vivons différentes phases d'épuration. Sous les couches superficielles des idées préconçues et des opinions empruntées, se cache une réalité incontournable: nous sommes de nature divine.

Pour que le divin se dégage de nos pensées, de nos paroles et de nos actions, il faut atteindre une transparence intérieure.

Comme un miroir embué qui voile temporairement la véritable image, notre mental embrouillé par des idées erronées ne laissera pas transparaître la pureté de nos pensées.

Nous pouvons alors accélérer le processus de nettoyage par le postulat de rêve. Dans une période de grands changements où je ne saisissais pas totalement la cause des événements qui m'arrivaient, j'ai décidé de faire le postulat suivant: *«Cette nuit, je nettoie mon mental des fausses croyances qui m'empêchent de comprendre ce que je vis présentement.»* Voici un des rêves qui a suivi.

Le nettoyage

J'apporte un tas de linge sale à laver dans une buanderie. J'attends mon tour car d'autres personnes sont arrivées avant moi. Un ancien copain avec qui j'ai eu un conflit par le passé est là aussi. Nous parlons ensemble et la relation devient harmonieuse.

Sentiments finals: paix et bonheur

Par la suite, les impressions notées dans mon journal disaient: *«Le temps du nettoyage est arrivé (linge à laver). Je m'y mets avec patience (j'attends mon tour) et cela me permet même de rétablir l'harmonie dans un conflit passé (l'ancien copain).»* J'ai aussi ajouté cette réflexion spontanée: *«Wow! c'est efficace car je me sens merveilleusement bien et euphorique ce matin. J'ai l'impression que c'est le début d'une ère nouvelle!»*

Comme je vous le laisse entendre, les effets d'un rêve de purification sont assez souvent perceptibles le lendemain. L'élimination d'un fardeau lourd crée un allégement émotif ou intellectuel. Ce nettoyage stimule notre capacité d'agir afin de rectifier les conditions qui nuisent à notre bien-être.

Par surcroît, les rêves de purification sont aussi utiles pour nous aider à prendre en mains notre pouvoir personnel. Différents facteurs extérieurs à soi contribuent parfois à nous déstabiliser. Il est alors important de se recentrer pour neutraliser cette situation. En faisant appel aux rêves pour y parvenir, nous favorisons la reprise de notre équilibre et la récupération de notre pouvoir.

Voilà ce que je me suis permis d'expérimenter lors d'une perte de contrôle de mes émotions dans un moment particulier. J'ai alors décidé de modifier la déstabilisation en travaillant dans mes rêves. Le postulat était: *«Cette nuit, je récupère mon pouvoir intérieur, mon autonomie et ma capacité de maîtriser ma vie.»*

La gourde purifiée

Je tiens une gourde personnelle qui doit être remplie d'eau. Puisqu'elle est presque vide, je profite de cette occasion pour la vider complètement et la nettoyer avant de faire le plein. Je dois demander à quelqu'un (un personnage bienveillant) de m'aider car la gourde est soudain devenue immense. Pendant qu'il la tient inversée, je la nettoie en regardant à l'intérieur. Je vois des racines et de la terre. Je fais sortir les résidus qui risquent de donner un mauvais goût à l'eau. Je réussis à tout nettoyer avant d'ajouter de l'eau pure.

Sentiments finals: soulagement et libération

Dans mon journal j'ai inscrit ces notes: *«Processus de nettoyage réussi. Ce qui contaminait la pureté de mon essence (gourde personnelle) est éliminé. De vieilles pensées enracinées (racines et terre) sont expulsées. Elles ne donneront plus un mauvais goût à ma vie. Merci à mon guide (le personnage bienveillant) de m'avoir aidé à faire le plein d'eau pure.»*

Fondamentalement, les rêves de purification sont un cadeau de la nuit quand nous permettons à nos rêves de nous assister dans un processus de nettoyage. Osons faire appel à notre capacité de guérison pour accéder à une meilleure vision de soi.

Les rêves de révélation

Pour chaque étape que nous franchissons vers notre mission personnelle, il est parfois nécessaire d'acquérir de nouvelles données et de fonctionner avec de nouveaux outils.

Quand j'ai commencé ma cinquième année en tant que travailleuse autonome, je savais que le cycle des efforts soutenus s'achevait. Après la période des semences, c'était le temps des récoltes qui se pointait. La métaphore qui se mit à apparaître dans mes rêves était l'image des vacances: *partir en voyage, prendre l'avion, être sur la plage, dormir à l'hôtel, etc*. Ce symbole me parlait de résultats car la période des vacances est en général la conséquence du travail.

Aussi apprivoisais-je donc l'idée de me reposer, de prendre du temps pour moi. Cette révélation m'a aidé à mettre de l'équilibre dans ma vie professionnelle. Voici un de ces rêves qui m'a préparé à mieux accueillir un changement agréable dans ma vie.

Mon nouveau passeport

Je pars en vacances. Je suis dans un aéroport et je me place dans une file d'attente pour le bureau des passeports. Lorsque mon tour arrive, on me remet un nouveau passeport, format miniature, dans lequel je dois répondre à un questionnaire. Une amie arrive près de moi et me chuchote les réponses dans l'oreille. Ce sont des chiffres: 0-2-1... Je suis surprise de son aide inattendue et cela me facilite la tâche pour poursuivre mes démarches.

Sentiments finals: étonnement et joie

Voici les impressions que j'ai notées au réveil: *«J'ai un test à passer (questionnaire) pour accéder à une nouvelle étape (passeport). Une amie m'offre une aide précieuse pour faciliter cette transition.»* Les événements qui ont suivi cette prise de conscience ont confirmé l'analyse intuitive. Cela m'a permis d'être réceptive à l'aide offerte par l'amie en question.

Tout bien considéré, les rêves de révélation sont aussi porteurs de semences créatrices. Ils aident aux prises de conscience et aux réflexions. Ces semences peuvent prendre différentes formes. Ce peut être une inspiration au réveil qui provoque une pensée originale ou encore une image qui offre une vision achevée de l'œuvre en production, artistique ou scientifique. Ou même une ou plusieurs paroles contenant les éléments d'informations pertinentes à la compréhension d'un problème.

Par ailleurs, un rêve inspirant m'a fait faire une nouvelle prise de conscience tout en m'incitant à passer à l'action. Le voici:

La visite de Julia Cameron

Je suis en visite non officielle chez une amie. Elle me reçoit à la bonne franquette en compagnie de quelques autres personnes. Je suis vêtue simplement avec des jeans et un t-shirt. Soudain, on sonne à la porte. La nouvelle venue est une auteure américaine reconnue pour ses cours en créativité, Julia Cameron. Un peu gênée de ma tenue décontractée, je m'assois dans un coin du salon pour ne pas être remarquée. Une longue discussion s'amorce entre les invités.

Soudain, je prends la parole et je dis: «Ce que nous voyons détermine ce que nous sommes, et ce que nous disons influence ce que nous allons devenir.» À ces paroles, Mme Cameron se lève et vient s'asseoir près de moi pour discuter. Je ressens un lien d'amour entre nous deux. La soirée se poursuit en échanges instructifs.

Sentiments finals: complicité et bonheur

Au réveil, je note rapidement ce rêve dont le souvenir est très vivace. J'en conclus: *«Les paroles que j'ai prononcées dans le rêve me semblent importantes. Je constate qu'elles me permettent de comprendre la pertinence des mots que nous énonçons. Ces mots ont une portée à long terme sur notre vécu: en parlant de nos limites et de nos faiblesses, nous les maintenons vivantes dans nos pensées et elles se cristallisent dans notre conscience. Par la suite, ces limites influencent nos expériences. Par contre, en nommant nos forces et nos habiletés, nous leur permettons de croître et de se solidifier. Le pouvoir des mots est immense et nous en sous-estimons la portée.»*

La présence de Julia Cameron dans ce rêve m'a aussi fait réaliser que je possédais un de ses livres[1] et que je ne l'avais pas encore lu. Le rêve m'incitait sûrement à le consulter, ce qui a réanimé

1. Julia Cameron. *Libérez votre créativité*, Éditions Dangles, St-Jean-de-Braye (France), 1995, 310 p.

mon désir d'écrire. Je me suis alors remise à l'écriture du prochain livre, en l'occurrence celui-ci.

J'ai donc bénéficié de deux révélations: les paroles du rêve et le contenu inspirant d'un ouvrage dont j'avais oublié l'existence dans ma bibliothèque. C'est étonnant ce que la nuit nous réserve parfois!

Pour de nombreux chercheurs, inventeurs et artistes, les rêves sont une source infinie d'inspiration et de révélation. On parle alors de songes. Ces grands rêves sont porteurs de semences créatrices. Ils contribuent aux trouvailles, aux idées de génie et aux inventions. Voici quelques-unes des créations issues du sommeil de leur auteur, parmi d'autres que j'ai mentionnées précédemment: le stylo à bille, le levier, l'ordinateur, l'ampoule électrique, l'insuline, la pénicilline.

Même si notre mission nous semble moins éminente que celle de ces inventeurs, notre vie peut cependant nécessiter autant de créativité. Il suffit alors d'incuber un rêve solution en portant notre attention sur le problème plusieurs minutes avant de s'endormir. Cette réflexion prolongée induira une recherche qui risque d'apporter des éléments importants grâce à un rêve de révélation.

En outre, l'histoire de l'inventeur de la machine à coudre, Hélias Howe (1819-1867), en est un exemple frappant. Après de nombreuses tentatives infructueuses pour créer une machine à coudre, monsieur Howe fit un rêve dans lequel il se voyait attaqué par une bande d'indigènes munis de longues lances. Soudain, il remarqua que la pointe de ces lances était percée d'un trou. À son réveil, il fit le lien entre son problème d'aiguille et les pointes percées à l'extrémité pointue des lances. Il déplaça le chas de l'aiguille à l'autre bout et la machine à coudre se mit à fonctionner. La révélation lui était parvenue dans un cauchemar.

Le célèbre philosophe français, René Descartes, a aussi été inspiré par un rêve fait dans la nuit du 10 novembre 1619. Il vit sur sa table de travail un dictionnaire puis un recueil de poésies. Monsieur Descartes jugea que le dictionnaire symbolisait l'ensemble des sciences et que le recueil de poésies représentait la philosophie[1]. Cette expérience révélatrice l'inspira pour établir les

1. Marie-Louise Von Franz. *Rêves d'hier et d'aujourd'hui*, Éditions Albin Michel, Paris, 1992, 203 p.

fondements de la pensée rationnelle. Cette découverte le conduisit à écrire le «*Discours de la méthode*», un livre qui influença les générations suivantes.

Que ce soit pour résoudre un problème financier ou pour recevoir une inspiration d'ordre philosophique ou artistique, le rêve nous offre des pistes de solutions parfois inattendues. À nous de garder l'esprit ouvert et de faire le lien entre les préoccupations de jour et les images de nuit en provenance de l'intuition fortement active en sommeil paradoxal.

En permettant à nos rêves de nous assister grâce à la pensée créatrice et la vision globale, nous nous évitons les longs détours d'une recherche limitée par la logique uniquement. La pensée rationnelle issue du cerveau gauche est plus lente et avance par étape. Sa vision partielle limite nos perceptions alors que la vision globale de la pensée intuitive élargit notre point de vue.

Pour solidifier notre mission, il est utile de recourir aux rêves de purification et de révélation. Les rêves de purification éliminent les éléments nuisibles à l'accomplissement de notre raison d'être. Les rêves de révélation éclairent notre route et favorisent l'éclosion de nos capacités créatrices.

Des initiatives originales

Plus la pensée se dégage de la lourdeur des préjugés et des fausses croyances, plus les idées sont originales. La créativité ainsi déployée sert à transformer ce qui est dérangeant et à améliorer ce qui va bien. Ainsi, les situations quotidiennes deviennent des occasions de trouver des solutions innovatrices.

Qu'ils soient de nature personnelle ou professionnelle, les problèmes sont une occasion de mettre à profit la sagesse acquise et la créativité inhérente à notre nature divine. En chacun de nous sommeille un artisan de la vie. Qu'il s'agisse de créer de nouvelles méthodes, de raffiner des moyens ou de concevoir des idées, cet inventeur intérieur ne demande qu'à nous servir pour apporter des solutions.

De plus, en famille, au travail ou dans les loisirs, notre mission personnelle a toujours besoin d'être nourrie et fortifiée. La créativité sert alors d'agent fertilisant pour y arriver.

Pour le parent dont la plus grande partie de sa mission personnelle concerne ses responsabilités familiales, il peut agrémenter celles-ci d'activités inhabituelles. Plusieurs éventualités sont possibles: mettre de l'originalité dans les repas, inventer un rituel du coucher amusant pour les enfants, trouver un thème inspirant pour les vacances, etc.

Quand la mission est directement reliée au travail, nous avons la responsabilité d'y mettre toute l'énergie dont nous disposons. À une époque où la compétition est de plus en plus grande, il est essentiel de se démarquer des autres. L'originalité que nous pouvons développer sera un gage de succès. Le désir d'offrir un produit constamment amélioré ou des services de plus en plus raffinés encouragent des idées innovatrices.

Pour une personne sans travail, la notion de créativité semble le dernier de ses soucis. Et pourtant, la créativité pourrait s'avérer très utile. Être sans emploi ne veut pas dire être sans ressources. La créativité est un atout majeur pour trouver ou créer un travail sur mesure. Puisque l'âme est illimitée, l'heure de solutionner ce problème est arrivée. Plusieurs étapes sont essentielles pour mener à bien cette tâche importante.

La première phase consiste à faire le bilan des expériences passées concernant les emplois précédents:

- ce qui me rendait heureux;
- ce qui me dérangeait;
- ce que j'aimerais faire;
- ce que je ne veux plus subir.

Cette évaluation du passé, associée aux goûts présents, donne une bonne idée des possibilités futures. Si on ne sait pas où on veut aller, il est difficile à l'énergie cosmique de nous aider à nous y rendre. Un désir sincère et une intention noble sont les ingrédients pour amorcer un changement. Le désir produit un moule ou un contenant et l'intention lui donne sa solidité. Par la suite, l'énergie cosmique remplit ce moule afin qu'il puisse manifester le désir énoncé.

Le fait de se visualiser (de se voir en pensée) en train d'accomplir un certain travail accélère la manifestation du désir formulé. La pensée crée: elle fait constamment des moules énergétiques dans lesquels la substance créatrice prend forme. Il faut donc utiliser la pensée à bon escient. Parfois nous construisons un moule magnifique grâce à un désir sincère puis nous le détruisons par la suite en pensant que c'est impossible ou trop beau pour être réalisable. Par la pensée négative, nous devenons des destructeurs d'idées. Il est donc important de croire avant de voir pour permettre au désir de se rendre à maturité.[1]

En deuxième lieu, il s'agit de nommer les talents:

- les talents que j'avais dans ma jeunesse;
- les talents que je maîtrise maintenant;
- les talents que j'aimerais développer.

En fait, nous naissons avec un bagage initial nanti de dons naturels, et, au cours de nos expériences, nous pouvons y ajouter de nouvelles acquisitions. Puis, comme les goûts se raffinent, de nouveaux talents deviennent souhaitables pour combler nos attentes. Ces habiletés s'acquièrent de différentes manières: en étudiant, en pratiquant ou en visualisant. Il faut y consacrer le temps nécessaire. Tôt ou tard, nous serons en mesure de vivre ce que nous avons projeté par la pensée créatrice.

En troisième étape, il faut capter une vision d'ensemble de ce qu'on veut «être» ou «faire». Il s'agit de se voir dans un état particulier ou dans une action déterminée.

Par la suite, nous formulons cette vision pour lui permettre de vivre dans notre conscience. La formulation peut s'énoncer de deux façons différentes: avec un état d'être ou par un verbe d'action.

Voici quelques exemples de visions qui se formulent avec l'état d'être:

- je suis un artiste reconnu;
- je suis heureux dans mon travail;
- je suis comblé dans ma vie professionnelle;

---

1. Dr Wayne W. Dyer. *Il faut le croire pour le voir*. Éditions Un monde différent, Saint-Hubert (Québec), 1997, 284 pages.

- je suis un guide inspirant pour les autres ;
- je suis appréciée par mes employeurs ;
- je suis compétent dans tous les secteurs de ma vie.

Voici des exemples de visions formulées grâce à un verbe d'action :

- je travaille dans un domaine que j'aime ;
- j'offre mes services à des personnes qui l'apprécient ;
- j'écris des livres qui intéressent les gens ;
- j'utilise mes talents pour gagner ma vie ;
- j'enseigne ce que j'aime le plus.

Au chapitre 2, nous avons proposé certaines techniques pour capter une vision. Par le rêve ou par les signes de jour, il y aura toujours des indices pour nous mettre sur la voie. Si vous êtes temporairement sans emploi, profitez de ce moment de répit pour bâtir une vision qui vous convienne parfaitement.

Avec un peu de créativité, beaucoup de confiance en soi et un plan d'action détaillé, tout est possible. Nous sommes des êtres au potentiel illimité. Nos rêves de nuit et nos expériences de jour se chargent de nous conduire vers cette réalité incontournable.

Chapitre 8

Guérir du passé pour vivre le présent

Puisque la conscience enregistre toutes nos expériences, il est essentiel de guérir du passé pour bien vivre le présent. D'anciennes blessures peuvent parfois limiter notre perception de nos capacités présentes et nuire ainsi à l'action potentielle.

En soignant ces anciennes plaies de nature émotionnelle ou mentale, nous serons davantage en mesure d'assumer le présent qui contient toutes les semences d'un futur profitable. Nous pourrons aussi mieux accueillir les possibilités en devenir qui seront à la hauteur de nos attentes les plus audacieuses, si la peur ne nous tient pas en otage bien entendu.

En effet, le passé chargé de vieilles craintes laisse parfois des traces indélébiles sur la conscience. Ce passé lourd de douleurs a tendance à nous poursuivre dans notre quotidien et à ébranler notre confiance. Des punitions trop sévères, un échec scolaire mal accepté, une situation humiliante, une perte d'emploi inattendue, un abandon amoureux sont autant de blessures qui affectent nos comportements. Ce phénomène provoque une attitude de méfiance devant tout ce qui nous rappelle la menace ancienne même si le danger n'existe plus. Une protection inutile peut alors nuire à notre progression vers le nouveau et l'inconnu.

Si nous désirons sincèrement évoluer avec joie vers notre destin pour accomplir notre mission personnelle, des guérisons sont parfois nécessaires. De jour comme de nuit, une force intérieure nous y conduit. Durant l'éveil, ce sont des circonstances inattendues qui nous incitent à dépasser nos anciennes limites. Durant le sommeil, des rêves puissants nous aident à solidifier notre démarche de guérison.

Dans le processus de solidification de notre mission personnelle, nous passons par des étapes de renforcement. Les rêves de compréhension et les rêves de guérison nous aident à évoluer harmonieusement vers notre raison d'être. Ils nous secondent dans notre développement intérieur et dans notre quête d'identité.

Les rêves de compréhension

Grâce à l'éclairage nouveau qu'ils nous apportent, les rêves de compréhension nous permettent de comprendre les causes passées qui ont engendré les effets présents. *D'où vient telle attitude? Pourquoi ai-je à rencontrer constamment tel type de personne? Comment modifier tel comportement répétitif?* Autant d'interrogations qui peuvent s'élucider par un rêve de compréhension.

Que ce soit une scène de notre enfance qui émerge pour nous dévoiler une expérience douloureuse, un scénario illustrant une crainte remontant d'un lointain passé ou un rêve de vie antérieure qui expose un fait vécu dans un autre corps à une autre époque, conservé dans la mémoire de l'âme, toutes ces révélations nous aident à comprendre.

De plus, grâce aux rêves de compréhension, nous pouvons aussi associer les goûts présents avec des expériences antérieures. Un penchant pour la musique, une curiosité insatiable envers une civilisation disparue, une passion pour la peinture ou la sculpture sont autant de récoltes présentes qui proviennent d'un intérêt ou d'une maîtrise antérieure dans un domaine particulier. Nous comprenons alors l'origine de nos goûts, de nos tendances naturelles et de nos préférences.

Par surcroît, la cause de nos appréhensions est aussi mise en lumière grâce à certains rêves. Une déception amoureuse, de la cruauté mentale ou un échec professionnel blessent parfois à un niveau très profond. Ces traumatismes enfouis sous plusieurs couches d'oubli ou de reniement peuvent remonter à la surface pour enfin être guéris. La sagesse de l'âme les fait apparaître au moment opportun afin de les régler.

Suzanne aimait beaucoup chanter mais n'osait jamais suivre des cours de chant. Elle trouvait toutes sortes de raisons pour remettre à plus tard ce plaisir auquel elle aspirait depuis de nombreuses années. Une nuit, elle fit le rêve suivant:

La blessure oubliée

Je joue dans la cour avec ma sœur. Nous avons installé une caisse en bois sur laquelle je me tiens debout avec un objet à la main pour me servir de faux micro. Je fais semblant d'être une chanteuse populaire avec toutes les mimiques nécessaires. Je bouge beaucoup sur ma petite caisse.

Soudain, je perds pied et je tombe en bas de cette estrade improvisée. Je suis blessée et je pleure. Ma mère arrive en paniquant. Ma sœur lui explique notre jeu et ma mère se fâche en me disant que ces enfantillages sont ridicules et que je n'ai même pas une belle voix. Elle me dispute en me disant que ma blessure est causée par trop d'orgueil.

Sentiments finals: humiliation et tristesse profonde

Après ce rêve, Suzanne a vérifié auprès de sa sœur la véracité de cet événement. En effet, celle-ci se souvenait de l'expérience traumatisante. Les deux sœurs avaient été en punition pendant plusieurs jours. La rêveuse avait enfoui cette expérience dans une zone cachée de son subconscient. La peine occultée avait été néfaste pour son désir de chanter. Suite à ce rêve et après avoir pardonné à sa mère, Suzanne a décidé de s'inscrire enfin à des leçons de chant. Aujourd'hui elle participe à des concours d'amateurs pour le simple plaisir de chanter. Qui sait ce que l'avenir lui réserve?

Grâce à ces anciennes blessures qui refont surface, nous pouvons enfin comprendre les obstacles qui nuisent à notre épanouissement. Que ce soit le détachement émotif, le courage ou le désir de guérir qui permettent cette résurgence, une partie de soi en prend connaissance et désamorce la douleur paralysante pour la transformer en apprentissage spirituel. La souffrance purifie et élève la conscience. Elle conduit inévitablement à la compassion et au pardon. Pour l'âme, tout supplice est temporaire. Nous ne sommes jamais victimes par erreur ou par hasard. Nous avons engendré une cause passée qui crée un effet présent.

C'est pourquoi nous devons donc assumer la responsabilité de ce qui nous arrive. *«Celui dont les yeux sont ouverts à sa propre connaissance reconnaît que le créateur de sa destinée est en lui. Il sait que toute force est en lui, que des réserves infinies d'énergie attendent au centre de son âme afin d'être mises à jour et d'agir à son appel!»*[1]

Dans le processus d'ouverture à notre mission personnelle, certains rêves nous aident à identifier la véritable peur qui se cache derrière un manque d'action.

Voici deux rêves qui ont permis à Jean de mieux comprendre ce qu'il vivait. Son postulat était: *Cette nuit, je comprends la cause qui m'empêche d'assumer les qualités de leadership que je possède.*

L'offre

Mon ex-patron (un restaurateur) m'annonce qu'il me donne tout l'argent dont j'ai besoin pour ouvrir mon propre restaurant. Cette offre n'est valable que si je me donne à plein dans cette entreprise. J'ai soudain très peur car je ne veux justement pas m'engager totalement.

Sentiments finals: peur et insécurité

La déclaration

Une amie donne des cours. Elle est à la recherche d'un associé. Tout le monde autour d'elle lui suggère mon nom. Puisque j'ai été pour elle un intermédiaire qui lui a fait connaître ce travail, elle déclare formellement que je serai son associé.

Sentiments finals: étonnement et insécurité

---

1. K. O. Schmidt, *Le Secret du bonheur*, Paris, Éditions Astra, 1990, p. 129, 222 pages.

Malgré le scénario de rêve complètement différent de son vécu de jour (il est commis), Jean a cependant réalisé que l'action onirique lui révélait quelque chose de connu: la peur de s'impliquer. Peu importe le domaine, l'engagement lui fait craindre de nouvelles responsabilités et, à cause de son insécurité, il passe à côté de belles opportunités.

Par conséquent, la connaissance qui jaillit des rêves de compréhension facilite l'étape suivante: celle de la guérison.

Les rêves de guérison

Comme on le voit, le sommeil libérateur nous ouvre la porte des dimensions subtiles de la conscience. Plus on s'élève dans les sphères de pure créativité, plus la lumière présente purifie le corps émotif et le corps mental. Les anciennes blessures sont prises en charge pour amorcer une guérison.

L'année dernière, au moment de prendre un nouveau tournant dans ma vie personnelle, j'ai fait le rêve suivant:

L'opération à «corps ouvert»

Une jeune fille souffre d'une maladie de reins. On l'opère à «corps ouvert» de la façon suivante: elle est debout, des tubes sont branchés de son corps ouvert à un immense rein artificiel. Des médecins observent l'efficacité de cet appareillage en déposant de la nourriture dans le réservoir-rein. Les bouillons qui en sortent indiquent que la nourriture est bien transformée. Tout semble fonctionner correctement. La jeune fille a hâte d'être guérie. Je la regarde avec compassion et je la soutiens dans cette opération.

Sentiment final: espoir

J'ai noté dans mon journal les impressions suivantes: *«La jeune fille blessée en moi est prête pour une guérison. C'est à «corps ouvert» que cela se fera. Je dois donc assimiler ouvertement quelque chose (nourriture digérée). L'âme que je suis observe avec compassion la partie en moi qui espère guérir».*

Une semaine plus tard, je vivais une situation qui m'obligeait à laisser sortir des émotions enfouies depuis plusieurs années. Je savais que l'heure de vérité avait sonné. J'ai «digéré» les réminiscences du passé et je me suis «branchée» sur mon pouvoir spirituel pour passer le test de la transformation. Un pas de plus venait d'être franchi dans mon cheminement.

Dans nos envolées nocturnes, à travers les dimensions de la conscience, nous franchissons des zones de pure lumière. Ces lieux sont favorables à la guérison intérieure à cause du haut degré vibratoire qui y règne. Avant de sombrer dans le sommeil, nous pouvons visualiser la lumière sur notre écran intérieur soit par la méditation ou par la contemplation. En entrant en contact avec cette énergie purificatrice et désireux de soigner de vieilles blessures, nous favorisons des rêves curatifs. L'harmonie qui s'installe par la suite témoigne de l'effet thérapeutique du rêve.

Malgré les nombreuses meurtrissures que la vie peut laisser sur notre corps émotif ou mental, la plus belle guérison que nous puissions obtenir est celle où nous récupérons notre capacité d'aimer. Car sans amour, n'importe quelle raison d'être ne peut être entièrement satisfaisante. Que ce soit l'amour de la vie, l'amour du travail ou l'amour des autres, ce sentiment nous fait accéder à notre potentiel infini pour créer un présent de plus en plus lumineux.

Chaque instant, l'âme est en relation directe avec la source illimitée de sagesse et d'amour. Ce contact permanent avec l'essence pure de la vie n'est possible que si notre cœur est ouvert. Dans le cas contraire, des sentiments de détresse et d'anxiété remplacent la certitude d'être au bon endroit, au bon moment. L'isolement et le sentiment de séparation sont alors dévastateurs. La vie a perdu de son charme. La grâce nous a quitté.

D'autre part, l'âme se choisit un moyen pour abolir ce sentiment d'isolement, c'est l'unification vécue dans les rêves de fusion. On fusionne avec nos partenaires oniriques dans une relation amoureuse ou cosmique. Cette rencontre profonde symbolise en fait la fusion des aspects masculin et féminin en soi, illustrée par l'union des deux sexes ou la fusion avec le divin exprimée par les rêves d'extase.[1]

---

1. Nicole Gratton. *Les Rêves érotiques, une envolée vers l'extase*. Montréal. Éditions internationales Alain Stanké, 1997.

Dans ces états extatiques du rêve, nous vivons des moments d'euphorie qui nous rappellent que le bonheur fait encore partie de nos vies. Ces vitamines intérieures de nuit revitalisent nos actions de jour. Durant nos envolées nocturnes, nous pouvons goûter de nouveau aux splendeurs des mondes divins.

En expérimentant temporairement la félicité, nous bénéficions d'une élévation intérieure. Nous recevons de ces expériences oniriques un état de bien-être allant de la simple joie à la béatitude la plus profonde. Le sentiment d'isolement est aboli et nous redevenons entier et uni à l'Univers.

Guérir du passé c'est renaître au présent pour assumer le futur exceptionnel qui nous attend. Cette transformation intérieure exprimée par les rêves de guérison, se prolonge ensuite dans nos actions à l'état d'éveil. Il ne nous reste plus qu'à passer à l'étape suivante: l'acceptation de la métamorphose intérieure.

Une métamorphose intérieure

Dès que les changements ont été apportés, une métamorphose intérieure s'accomplit. Nos goûts évoluent et nos désirs s'ennoblissent. Nous ne sommes plus la même personne et ceci influence nos comportements.

Si nous continuons à fonctionner avec les mêmes habitudes et la même routine malgré cette transformation, nous réalisons soudain que le cœur n'y est plus. On s'ennuie et on ne comprend pas ce qui se passe. Pourquoi ces actions qui nous comblaient auparavant ne sont plus satisfaisantes ni même stimulantes à présent? Comment peuvent-elles être si pénibles maintenant?

Quand la monotonie devient insupportable, une prise de conscience est essentielle pour comprendre. Notre perception s'est modifiée et nos attitudes aussi. Tout comme l'enfant qui s'amusait joyeusement dans son carré de sable et qui soudain ne le trouve plus attrayant, il nous arrive aussi de décider qu'il est temps d'aller explorer d'autres lieux.

Au niveau de notre travail, de nos loisirs ou de notre vie familiale, de tels changements se manifestent un jour ou l'autre. Un nouveau cycle s'amorce pour différentes raisons. Nous avons certainement fait le tour du jardin et il est temps de passer à autre chose, ou bien une étape de notre mission est terminée et il faut en commencer une nouvelle.

Pour certaines personnes, il leur faut du courage pour explorer l'inconnu alors que pour d'autres c'est facile. L'important c'est d'en prendre conscience et de respecter le rythme qui nous convient pour aller vers les changements nécessaires. Par la suite, il s'agit d'assumer les conséquences de ces changements.

Pour bien vivre la mutation en cours, nous pouvons modifier quelques-uns ou plusieurs paramètres de notre vie. Pour une personne dévouée à l'enseignement, une métamorphose intérieure pourrait entraîner un changement de milieu de travail. En passant de l'école publique à l'enseignement privé, par exemple, elle permet à sa créativité de croître à un autre niveau. Pour un artiste à temps partiel, la guérison de sa peur de l'insécurité peut le mener à pratiquer son art à plein temps. Une jeune femme qui reconnaît son rôle de mère comme sa principale mission peut décider de quitter un emploi permanent pour se consacrer totalement à la maternité.

De plus, chaque transformation individuelle amène une répercussion au niveau universel: *«Vous êtes le monde. Quand vous vous transformez vous-même, le monde dans lequel vous vivez sera aussi transformé.»*[1] *Une responsabilité cosmique accompagne donc nos métamorphoses personnelles.*

En acceptant avec joie les changements provoqués par les guérisons obtenues, nous facilitons notre transition vers de nouveaux horizons. Que ce soit un changement de milieu ou de profession qui se présente, soyons assurés que celui-ci solidifiera notre mission personnelle si l'amour accompagne nos actions.

Étant donné que la pensée crée et que nos paroles renforcent nos pensées, les affirmations quotidiennes deviennent alors un outil supplémentaire pour améliorer notre vie. Nous pouvons alors semer dans le présent des récoltes futures à la hauteur de nos attentes les plus nobles et les plus audacieuses.

---

1. Deepak Chopra. *La Voie du magicien*, Paris, Éditions Robert Laffont, 1997, p. 111.

Ainsi, le travail de nuit par la compréhension des scénarios oniriques s'ajoute à la discipline de jour par la pensée créatrice. Cette complicité provoque les changements nécessaires pour évoluer en harmonie avec notre destinée spirituelle. Les rêves de compréhension et de guérison sont alors des collaborateurs pour amorcer la métamorphose désirée.

Chapitre 9

Agir pour accomplir sa mission

Après la préparation intérieure, c'est la manifestation extérieure qui complète une mission personnelle, d'abord par la transformation suivie de l'action.

En fait, les multiples progrès accomplis tout au long de notre cheminement personnel sont le reflet de notre évolution intérieure. Ce qui apparaît à l'extérieur de soi dépend de ce qui se vit à l'intérieur. Nous pouvons ainsi réaliser que chaque étape franchie est la conséquence de l'action.

La vraie transformation est alors celle qui nous donne le pouvoir d'agir pour donner un sens à notre vie. Nous pouvons capter une vision extraordinaire de notre avenir, élaborer un plan génial pour la mettre en application, mais le moment ultime commence par un geste concret. Tant que nous ne faisons pas le premier pas, rien ne peut se manifester concrètement.

Si je nourris le rêve de visiter la Chine depuis ma plus tendre enfance et que, par la suite, je consulte des dizaines d'encyclopédies sur le sujet, que j'étudie la langue chinoise et que j'élabore en pensée différentes stratégies pour m'y rendre, cela ne fera pas nécessairement de moi une personne qui a vu la Chine. Tant et aussi longtemps que je n'aurai pas mis les pieds là-bas, ce pays sera une connaissance théorique et non une expérience vécue. Pour plonger dans sa mission, il faut donc passer à l'action.

« Une quête commence toujours par la chance du débutant et s'achève toujours par l'épreuve du conquérant. »[1] La chance est d'abord celle de connaître notre mission personnelle. L'épreuve consiste à la manifester et à l'accomplir. Pour ce faire, nous avons besoin d'agir. De plus, grâce à l'action, nous apprenons, nous grandissons et nous développons notre potentiel illimité.

Afin de faciliter sa progression vers l'action et de solidifier ses acquis, quelques points de repère sont nécessaires pour se situer. Les rêves d'évolution sont de précieux indices pour évaluer les niveaux de notre cheminement. Ils nous reflètent chaque changement intégré et chaque métamorphose achevée.

Les rêves d'évolution

Les modifications d'attitude et de sentiment sont les bases nécessaires pour asseoir avec solidité une mission personnelle. Du doute à la certitude, du désarroi à la sérénité, de la peur à la confiance, nous évoluons sans cesse vers un état d'esprit de plus en plus unifié.

Dans ma jeunesse, j'étais extrêmement réservée et timide. Cette gêne maladive fut présente en moi jusqu'à l'âge de 29 ans. Pour accomplir ma mission future de conférencière, je devais me libérer de cet handicap. C'est en passant à l'action que j'ai réussi à dépasser mes anciennes limites. Je me suis inscrite à des cours sur l'art de parler en public et j'ai suivi des formations spécialisées sur la communication.

Tout cela a été salutaire, car ma gêne et ma tendance à l'isolement se sont peu à peu muées en désir de partager. Ma peur de parler en public s'est ainsi transformée en joie de communiquer mes connaissances. En relevant ces défis, j'ai gagné et j'ai accru de la confiance en moi. Cette transformation graduelle allait me permettre de développer mes qualités de communicatrice.

Par ailleurs, au cours de ce processus de découverte de mes nouvelles aptitudes, je pouvais vérifier les progrès accomplis au fur et à mesure dans mes rêves. Les scénarios oniriques tournaient régulièrement autour du thème de la communication. Je me voyais en train de donner des conférences à quelques personnes

1. Paolo Cœlho. *L'Alchimiste*, Éditions Anne Carrière, Paris, 1994, p. 207.

d'abord, puis à des groupes plus nombreux. Je ressentais un plaisir croissant à m'exprimer en public et ces rêves où tout était facile m'encourageaient à poursuivre dans cette veine.

De plus, pour solidifier ces acquis intérieurs, je devais passer à l'action durant ma vie d'éveil. Je commençai donc à saisir toutes les occasions qui se présentaient à moi: animer des soirées de discussion chez des amis, agir comme intervenante lors d'une table ronde pour des rencontres d'information dans un centre de croissance personnelle, assister un autre conférencier dans son exposé, assumer le rôle de présentatrice pour de petits événements, etc.

Pour donner suite à ces actions de jour, mon journal de rêves devenait le témoin de mon évolution. Grâce aux postulats de rêves, j'induisais des séances d'entraînement et j'accélérais ainsi le processus. Voici quelques exemples de postulat: «*Cette nuit, je développe mes qualités de conférencière*» ou «*Cette nuit, je pratique l'art oratoire*» ou «*Cette nuit, je rencontre mon auditoire et je m'harmonise à leurs besoins*». Ce genre d'initiative m'aide encore aujourd'hui à donner le meilleur de moi-même dans mes présentations.

En plus d'évaluer le cheminement en cours, le rêve nous permet aussi de reconnaître les incompétences non résolues. En 1995, alors que j'assistais à un congrès aux États-Unis, quelqu'un m'a offert de participer à un panel en anglais. Même si ma connaissance de la langue est acceptable pour lire et malgré l'excitation de relever un tel défi, j'hésitais à accepter. J'ai demandé une nuit de réflexion avec le postulat suivant: «*Cette nuit, je vérifie si je dois accepter l'offre concernant le panel en anglais*». Voici le rêve qui s'est ensuivi.

Les talons trop hauts

Je me rends dans un endroit public. Quelqu'un m'offre une magnifique paire de chaussures à talons hauts. Puisque je les trouve très beaux, je décide de les porter immédiatement. Dès que je commence à marcher, je constate que les talons sont trop hauts pour moi. Je suis incapable de garder mon équilibre. Je tombe sans cesse.

Sentiments finals: déception et impuissance

Aussi, à mon réveil, ai-je pris le temps de réfléchir aux événements de la journée précédente et de faire le lien avec le postulat induit. J'ai noté ceci: *«Quelque chose me tente beaucoup mais je ne peux l'assumer car je risque de perdre l'équilibre.»* La réponse était claire. Je savais que le défi était «trop haut» pour moi. Depuis cette offre, je suis des cours de conversation anglaise.

Or, la certitude que nous occupons tous une place unique dans l'univers et que notre présence peut faire une différence auprès des autres sont des conditions préalables pour oser agir en fonction de nos préférences. La vie est précieuse parce qu'elle nous offre la chance de vivre notre passion jumelée à nos talents. Ensuite, il ne reste plus qu'à passer à l'action.

Les rêves d'action

Pour être à l'aise dans sa mission et avoir du plaisir à s'engager de plus en plus dans cette démarche, nous pouvons apprivoiser l'action sous toutes ses formes. De jour comme de nuit, elle nous garde en forme.

En fait, l'action de jour peut ressembler à ceci: parer aux imprévus et agir, s'adapter aux changements en développant de la souplesse, trouver des solutions aux problèmes inattendus, changer de trajectoire quand cela est nécessaire, s'associer avec de nouveaux partenaires, trouver du financement ou des ressources supplémentaires, etc. La liste est infinie si nous savons reconnaître les occasions aidantes au lieu de voir des contrariétés dérangeantes sur notre parcours.

Afin de mieux s'entraîner à l'action, les rêves mettent à notre disposition un laboratoire personnel pour expérimenter différentes possibilités. Nous y faisons des essais et nous vérifions des hypothèses. Certaines tentatives sont testées en profondeur afin de gagner la confiance nécessaire pour les mettre en application dans notre vie d'éveil.

Et même si nous ne connaissons pas encore la destination finale, c'est la traversée qui compte pour l'instant. La vie est une aventure et c'est dans l'action que nous l'assumons le mieux. C'est en osant parfois prendre des voies non conventionnelles que la joie du dépassement nous comble en retour.

Par ailleurs, même si un geste réfléchi est préférable à une action précipitée, il est possible que nous recevions de nos rêves l'information d'agir vite. La réflexion n'est pas à l'ordre du jour à cause de l'urgence du moment. Le rêve suivant qui m'a semblé banal dans son contenu, m'a cependant aidé à prendre une décision importante.

Dans l'action

Je suis occupée à faire des choses (détails oubliés)... Une amie est avec moi. Soudain, nous recevons l'ordre de partir rapidement. Cela semble urgent. Je m'attache les cheveux en me regardant dans le miroir. Le reflet dans la glace de l'image de mon amie et moi est inspirant.

Sentiment final: urgence d'agir

Voici les impressions que j'ai notées dans mon journal de rêves: *«C'est un nouveau départ. Je dois passer à l'action, c'est urgent. Je me prépare pour du travail (cheveux attachés) et celui-ci me reflétera des actions inspirantes (images inspirantes dans le miroir).»* La dernière portion était effectivement prophétique car peu de temps après l'amie du rêve et moi avons établi une collaboration qui nous a aidé chacune dans nos carrières respectives.

Cependant, à l'inverse de l'action rapide, il arrive aussi que le rêve nous incite à modérer nos élans et à bien se préparer avant d'agir. Dans l'expérience suivante, je devais élaborer le contenu d'une conférence pour un groupe de personnes très différentes du type d'auditoire dont j'avais l'habitude. Le soir de la signature de mon contrat, et même si nous étions un mois avant la présentation, j'ai décidé de faire le postulat suivant: *«Cette nuit, je planifie la conférence avec le groupe X.»*

Le grand saut

Je me joins à un groupe de personnes qui font des compétitions de saut en hauteur en équipe. Je suis jumelée à trois participantes. Nous sommes les dernières à passer.

C'est enfin notre tour. Je décide d'observer attentivement mes coéquipières car je réalise que je devrai faire un type de saut avec lequel je ne suis pas familière. Cela semble très difficile. Je me trouve audacieuse de participer à cette compétition même si c'est la première fois pour moi. «Il y a sûrement un moyen d'apprendre vite», me dis-je à moi-même. Je les regarde en me disant qu'il ne me reste plus grand temps pour tout saisir. Je veux réussir.

Sentiments finals: décidée et audacieuse

Naturellement, en relisant le lendemain le postulat inscrit dans mon journal de rêves, j'ai immédiatement fait le lien. Voici mes impressions: *«Mon mandat avec le groupe X représente un "grand saut" pour moi. J'ai suffisamment d'audace pour relever le défi (compétition) mais pour le réussir, je dois m'y prendre à l'avance en observant les autres.»* Dans mes actions de jour, j'ai aussi ajouté des préparatifs à l'avance pour éviter le stress du dernier jour. Lorsque l'événement a eu lieu, j'étais prête et ce fut un succès.

Mario vivait une période financière difficile. Il avait entrepris plusieurs démarches pour arrêter une dégringolade inévitable. Croyant qu'il avait tout fait pour stabiliser la situation, il fit le rêve suivant:

La bombe va exploser

Je suis installé dans un endroit familier et j'attends. Soudain, je réalise que je suis assis sur une bombe à retardement. Une voix intérieure me dit que cette bombe va exploser d'un moment à l'autre. Je dois bouger de là immédiatement.

Sentiment final: danger immédiat

À son réveil, le sentiment de danger était tellement puissant que Mario a décidé de vérifier dans quel secteur de sa vie ce scénario pouvait s'appliquer. De toute évidence, cela semblait être relié à sa situation financière. Il a donc téléphoné à son comptable pour s'assurer que tout avait été exécuté selon sa demande. Cette vérification lui a permis de constater qu'un délai s'était produit pour la remise de certains documents. Se fiant à son intuition, Mario a fait d'autres appels pour accélérer les procédures retardées. Il a alors réalisé que ce geste était primordial pour éviter une catastrophe éventuelle. Le rêve avait vu juste: *il était assis sur une bombe prête à exploser!*

Sous forme de mesure incitative impérieuse ou d'indice prévisible, les rêves d'action nous secondent dans notre démarche d'amélioration de nos conditions de vie. Il suffit de cueillir au matin les images de la nuit, de noter les sentiments qui les accompagnent et de faire le lien par la suite avec les événements de jour.

Cheminer vers la réalisation de soi

Accomplir sa mission personnelle tout en apprenant à se connaître est une tâche excitante. Dans chaque action, nous découvrons une limite à dépasser et un potentiel à exploiter. Les découvertes personnelles se multiplient tout au long des défis: un talent nouveau, une force insoupçonnée, ou une audace inconnue.

De nombreuses surprises nous attendent sur le parcours de l'accomplissement de notre raison d'être. Qu'il s'agisse de personnes intéressantes à rencontrer, d'endroits insolites à visiter ou de connaissances enrichissantes à intégrer, ces découvertes nourrissent notre enthousiasme et stimulent notre goût de vivre.

Dans ce processus de réalisation de soi, nous pouvons aussi apporter quelque chose de plus dans la vie des gens. Chaque action en harmonie avec le sens véritable de notre vie laisse dans son sillage des énergies positives. Ceux qui y circulent en bénéficient instantanément.

Chaque jour, nous sommes témoins de l'influence de l'énergie d'une autre personne sur nous-mêmes. Quand je m'installe dans un restaurant et que la serveuse m'offre le menu avec un sourire sincère, j'ai immédiatement l'impression que le soleil brille un peu plus fort. Son accueil illumine ma journée et je sens l'amour qui circule. Je me laisse baigner dans ce courant bienfaisant qui émane de la personne heureuse d'accomplir sa tâche.

D'ailleurs, le travail auprès du public est une mission noble et importante. Peu importe la responsabilité ou le rôle (téléphoniste, vendeur, infirmière ou patron) l'échange en paroles ou en gestes laisse une impression qui affecte directement le client ou le bénéficiaire. Ce dernier repart et crée à son tour un effet sur la prochaine personne qu'il croisera. Une réaction en chaîne en découle qui influence parfois un grand nombre de gens.

À la question: *«Comment puis-je être utile en exploitant mes talents?»*, nous pouvons capter un indice important qui apportera une réponse spontanée émanant de l'intuition. Nous pouvons alors y déceler un embryon de mission personnelle ou une source nouvelle d'idées créatrices qui nous rapprochent de notre raison d'être. Plus nous donnons un sens à notre vie, plus l'énergie qui nous habite se décuple pour servir les autres.

En effet, la réalisation de soi se manifeste par la découverte de notre potentiel divin illimité. Les qualités inhérentes à l'âme sont l'amour, la sagesse et la liberté. Seule l'expérience nous fera découvrir ces attributs divins: un amour de plus en plus noble, une sagesse grandissante et une liberté croissante.

Entre les actions présentes et les réalisations futures, nous évoluons à un rythme qui dépend de nos attentes. On peut se contenter d'un cheminement lent mais sécurisant ou d'une ascension rapide mais excitante. Les audacieux choisiront la deuxième voie. L'important c'est de se connaître assez pour entreprendre l'action appropriée en harmonie avec ses capacités individuelles et ses goûts personnels.

En désamorçant l'inertie qui nous piège dans la passivité, nous pouvons avancer librement vers la réalisation de soi, c'est-à-dire la prise de conscience de notre potentiel illimité. Chaque expérience, difficile ou aisée, nous révèle à nous-mêmes. Soyons à l'affût de ces découvertes.

Dans l'accomplissement de notre mission personnelle, nous pouvons aller au-delà des événements circonstanciels en demandant: *«Quelle est la prochaine étape pour mieux me connaître et évoluer?»* Cette requête attirera les personnes et les situations pour nous guider dans cette nouvelle phase. La joie et l'enthousiasme seront les indicateurs d'une orientation adéquate.

Chapitre 10

Apprivoiser son pouvoir divin

Comme nous l'avons vu, la mission personnelle est étroitement liée à notre potentiel spirituel. Nous sommes des êtres divins qui vivons des expériences humaines. En tant qu'êtres humains, nous sommes limités par l'imperfection de nos corps et en tant qu'êtres divins, nous possédons un pouvoir infini à cause de notre créativité illimitée.

L'essence spirituelle fait de nous des êtres de lumière. L'intuition guide nos actions, conscientes ou inconscientes. Elle nous incite à exprimer cette lumière qui scintille en chacun de nous.

Lorsque certains sages disent que l'âme est une étincelle divine, ils font référence à cette lumière intérieure qui habite chaque être humain. Grâce à la physique quantique, les scientifiques en sont arrivés à des conclusions similaires. Les chercheurs ont révélé que la matière est constituée uniquement de lumière concentrée. En décomposant les éléments qui forment l'atome, ils découvrent des particules de plus en plus petites qui sont en fait de l'énergie lumineuse condensée. L'apparence de solidité de la matière n'est qu'une illusion. Tout ce qui existe n'est que de la lumière vibrant à un taux suffisamment rapide pour créer l'effet de solidité. Pour paraphraser une parole célèbre des écrits religieux, nous pourrions dire ceci: «*Tu es lumière et tu retourneras en lumière*».

En somme, cette identification avec nos origines divines, nous fait ressentir le besoin de «briller» et il n'est pas nécessaire d'être une vedette ou une célébrité pour le faire. Nous pouvons rayonner dans la simplicité. À la maison, au travail ou en société, l'âme peut resplendir avec humilité. Que ce soit en préparant des repas qui ensoleillent la vie de notre famille, au travail en rayonnant de joie ou dans nos loisirs en irradiant le bonheur de faire ce qui nous tient à cœur, le scintillement de l'âme rejaillit sur les autres.

Ce sont nos talents qui nous permettent de briller au quotidien. Il y a cependant deux types de rayonnement: celui issu des aptitudes nourries par l'ambition et celui alimenté par la mission personnelle. Les dons assujettis à l'ambition sont au service de l'ego ou du moi limité. Ils proviennent de l'illusion. Alors que les talents alimentés par la raison d'être sont au service de l'âme ou du Soi illimité. Ils touchent la nature véritable de l'être humain. Les résultats en apparence semblables sont différents au niveau du senti intérieur.

En effet, la brillance extérieure peut paraître identique, mais le niveau de satisfaction change selon la motivation initiale. Au service du moi, l'expression de nos talents n'est jamais assez satisfaisante. Le plaisir est temporaire et les défis de plus en plus grands. L'ambition stimule des performances au détriment des autres personnes autour de soi et cela nourrit l'orgueil pouvant conduire à des excès dévastateurs.

Tandis qu'au service du Soi, l'expression de nos talents nous comble profondément. La joie est permanente et le goût du dépassement est noble. L'accomplissement de la mission personnelle génère des succès au profit des autres. L'humilité se dégage d'ailleurs de ces performances dont les conséquences passent souvent inaperçues.

Une parole de compassion peut soulager un cœur blessé, un sourire sincère apaise une personne angoissée et un geste gratuit peut en aider une autre dans le besoin. Dans son essence pure, l'âme est comme le soleil qui offre généreusement ses rayons lumineux pour réchauffer et éclairer. L'âme donne sans attente de recevoir. C'est une étincelle divine qui luit sans cesse malgré les petits nuages d'inquiétude ou d'ignorance qui obstruent temporairement sa lumière intérieure.

Plus notre idéal spirituel est clair et défini, plus nos actions sont orientées dans la même trajectoire. Nous pouvons choisir d'être un phare pour ceux que nous aimons dans notre environnement immédiat ou d'élargir davantage notre pouvoir de rayonnement en mettant nos habiletés au service de personnes inconnues. Nous devenons alors un canal pour les forces supérieures.

Il existe différentes façons de servir de canal pour l'énergie divine afin d'illuminer la vie des autres. Grâce à des paroles stimulantes, des actions aidantes ou même un silence respectueux, nous pouvons participer au mieux-être des autres. La créativité de chacun s'exprimera dans le but d'accomplir cette volonté d'aider. En voici quelques exemples: semer de l'espoir autour de soi par des paroles d'encouragement, donner de l'amour aux démunis par le bénévolat, égayer la vie des amis par l'humour, soutenir les personnes en deuil par l'écoute active, divertir les enfants par des jeux créatifs, soulager la douleur par la science, etc.

Une fois que nous avons établi de quelle façon nous voulons «briller», il suffit de choisir une phrase affirmative qui la décrit et de la répéter le plus souvent possible durant le jour. Cette affirmation scelle notre engagement avec la vie qui se chargera d'attirer à soi les personnes ou les événements afin de combler ce désir. Les affirmations quotidiennes peuvent ressembler à ceci:

- Je mets mon art au service de la communauté.
- Je suis heureuse de partager mes habiletés.
- Je suis un pur canal pour la force créatrice.
- J'offre mes talents à ceux qui savent les apprécier.
- Je suis disponible pour aider les gens démunis.
- Je donne ma bonne humeur à ceux qui en ont besoin.
- Je suis au service de l'Univers dans la joie et dans l'harmonie.

En plus d'être des porteurs de lumière, nous sommes aussi des messagers d'espoir. À partir de notre vécu personnel, nous pouvons inspirer les autres sans même avoir à prononcer une parole. Par l'exemple, nous insufflons l'énergie nécessaire pour qu'ils agissent à leur tour lorsque le temps sera venu. Nous sommes alors un canal silencieux. L'image que nous projetons s'exprime par elle-même. Nos actions élèvent la conscience des autres et nos victoires personnelles les encouragent.

Dans l'humilité et la simplicité, on peut inspirer de grandes choses. Il suffit d'être soi-même, de célébrer ses talents et d'accepter sa beauté intérieure. En irradiant le bonheur et la joie de vivre, on sème l'espoir et l'enthousiasme. N'est-ce pas là une belle mission?

Si notre vie est amplement remplie par les obligations familiales et professionnelles, et que nous avons peu de temps pour pratiquer le don de soi, il existe un moyen d'y remédier autrement. Les rêves de bénévolat sont une éventualité intéressante. Le temps mis à notre disposition par le sommeil peut servir à aider les autres. Il suffit de faire un postulat qui correspond à notre souhait. En voici des exemples:

- Cette nuit, je serai disponible pour aider ceux qui en ont besoin.
- Cette nuit, je vais secourir des âmes en difficulté.
- Cette nuit, j'enseigne mes habiletés aux autres.
- Cette nuit, je vais aider les victimes de telle catastrophe.
- Cette nuit, j'offre du temps pour ...

Et voilà, les possibilités sont multiples, il n'en tient qu'à nous d'oser en choisir et d'expérimenter cette facette des rêves. Pendant que le corps dort, l'âme s'envole librement dans les dimensions subtiles de la conscience. Ces envolées sont d'abord pour le bénéfice du dormeur mais peuvent aussi être au service des autres. La sagesse de l'âme veillera à gérer ces priorités.

En découvrant notre pouvoir divin, nous favorisons notre épanouissement. Peu à peu, nous déployons nos ailes pour voler librement dans l'espace infini de la créativité. L'âme étant immortelle, invincible et illimitée, tout devient possible pour elle. La peur n'a plus d'emprise sur le corps émotif. Il suffit de s'élancer dans le grand vide de l'inconnu qui contient la plénitude de la vie. Par les rêves d'envol nous testons petit à petit nos ailes et nous apprivoisons cet espace infini qui nous invite à expérimenter la liberté.

Les rêves d'envol

D'autre part, les rêves dans lesquels nous volons comme un oiseau sont des expériences de liberté. Nous y développons notre capacité de composer avec l'altitude qui symbolise notre hauteur dans la vie. Nous en profitons pour savourer les joies de la liberté.

Nous retrouvons plusieurs variantes aux rêves d'envol: *faire des bonds dans les airs et y rester; flotter au-dessus d'un décor; se lancer dans le vide et atterrir en douceur; piloter un avion ou un engin spatial qui nous propulse haut dans le ciel.*

Bien sûr, ces rêves peuvent être provoqués soit par un besoin de fuir un danger qui nous poursuit ou par un désir d'expérimenter la liberté. Par protection ou par audace, le vol est un cadeau de la nuit. De plus, le fait de devenir lucide durant le sommeil provoque généralement des rêves d'envol.[1]

À l'occasion, Monique fait des rêves lucides. Elle en profite pour contrôler les images quand celles-ci sont déplaisantes. En voici un exemple:

L'envolée heureuse

Je marche calmement sur la rue, sans but précis. Je savoure ce moment de détente. Tout à coup, un individu avance vers moi avec un regard méchant. J'ai soudain très peur. Que dois-je faire? Il est plus grand et plus fort que moi. Si je cours, il va me rattraper. Je panique. Soudain, je réalise que je rêve et une idée me traverse l'esprit. En faisant bouger mes bras comme les ailes d'un oiseau, je pourrai peut-être m'envoler dans les airs.

L'homme est tout près de moi et je n'ai pas le choix d'essayer, car il semble très agressif. J'étends mes bras de chaque côté de mon corps et cela fonctionne! Je m'élève au-dessus de l'homme menaçant et soudain le décor se transforme. Tout devient beau et

1. Patricia Garfield. *La Créativité onirique*, Paris, J'ai lu, 1983, 250 p.

calme autour de moi. Je ne sens plus l'agressivité de l'inconnu. Je suis euphorique.

Sentiments finals : joie et calme

Au réveil, Monique a noté son rêve et a réalisé une semaine plus tard que les derniers jours avaient été difficiles dans son entreprise. La concurrence féroce avec des compétiteurs l'avait conduite à un état de panique. En se rappelant son rêve, elle a décidé de déployer sa créativité (*ses ailes*) et des idées nouvelles l'ont aidé à survivre à la menace temporaire. Un nouvel envol s'annonçait enfin.

Ainsi, la capacité de modifier un scénario de rêve ou de l'observer avec détachement et sang-froid nous démontre notre disposition à contrôler notre vie d'éveil. La nuit influence nos journées et nos journées influencent nos nuits. Les scénarios oniriques reflètent les embûches présentes et les solutions potentielles.

De plus, les rêves dans lesquels *on se voit tomber du haut d'une falaise* ou *au fond d'un puits interminable* sont habituellement générateurs d'angoisses. Du point de vue psychique, ils témoignent entre autres d'une impuissance à réagir, d'une chute vers quelque chose ou d'un retour à une réalité plus terre à terre. Cependant, d'un point de vue spirituel, ils sont l'occasion idéale de mettre fin à la descente et d'amorcer un nouvel envol. Nous avons cependant la chance de prendre conscience que la chute est une illusion, qu'elle peut se transformer en vol plané. La peur évolue en plaisir, l'angoisse en ivresse et l'impuissance en liberté. Ce rêve terrifiant ouvre la voie à la transformation intérieure, à la transcendance divine.

Dans cette optique, la nuit nous reflète ainsi nos états d'âme de jour. Nous pouvons alors évaluer notre capacité d'agir ou notre degré de vulnérabilité. Voici des exemples de métaphores de rêves qui nous font miroiter ces conditions :

Le vol agréable devient soudain risqué car les vents sont trop forts : des circonstances trop puissantes risquent-elles de nuire à ma liberté ?

Je m'envole joyeusement quand je suis pris tout à coup dans les fils électriques: un obstacle temporaire m'empêche-t-il d'avancer?

Dès que j'essaie de m'élever dans les airs, quelqu'un m'attrape par les pieds et me redescend: y a-t-il quelqu'un dans mon entourage qui tente de me garder à son niveau en m'empêchant d'évoluer?

Je vole très haut dans le ciel et soudain j'ai le vertige. Je panique et je m'éveille en ayant terriblement peur: mes actions présentes sont-elles trop risquées pour mes capacités actuelles?

Je plane calmement au-dessus d'un décor fantastique. Sans que je sache pourquoi, une force inattendue m'attire vers le bas. Je descends en piquant du nez: suis-je trop confiant en mes capacités et pas assez préparé pour les imprévus qui risquent de me décourager?

Il est important d'inscrire le sentiment final du rêve car il est le baromètre de notre degré de vulnérabilité ou de puissance. En situation de contrôle de notre vie émotive, *une chute soudaine peut se transformer en atterrissage en douceur, en rebondissement sur le sol ou en une nouvelle envolée qui éveille l'espoir.*

De plus, si la fin d'un rêve ne nous plaît pas, nous avons toujours la possibilité de le terminer différemment. Deux choix s'offrent à nous. Le premier consiste à faire une visualisation éveillée qui change la portion déplaisante du rêve. Par exemple, dans le cas *des fils électriques qui gênent notre envolée,* nous pouvons imaginer *un outil puissant qui coupe tous les fils nuisibles* pour nous permettre de poursuivre l'envolée.

Ensuite, la deuxième technique consiste à induire le même rêve et à le transformer pendant qu'il se déroule à nouveau. C'est en prenant conscience que nous rêvons que cette technique fonctionne bien en règle générale. Nous devenons ainsi plus lucides et nous changeons les images dérangeantes. Ceci procure une meilleure confiance en soi et redonne espoir. Notre capacité de contrôler notre vie se décuple.

Les rêves d'envol nous procurent aussi un agréable sentiment de légèreté, de bien-être et de puissance. En laissant derrière nous le bagage superflu, nous devenons plus légers. Nous abandonnons les fausses illusions, les attachements futiles et les préjugés inutiles pour favoriser notre ascension vers des sommets plus sublimes. Le bien-être généré par les rêves d'envol amène des satisfactions à plusieurs niveaux. Que ce soit la joie de se sortir soi-même d'une impasse, le plaisir d'admirer un décor magnifique ou le bonheur d'expérimenter intensément la liberté, ces ravissements nourrissent l'esprit du rêveur. Pour nous le confirmer, un sentiment accru de bien-être est présent à notre réveil.

Grâce à la puissance ressentie dans les rêves d'envol, nous recevons des vitamines intérieures pour fortifier notre capacité de passer à l'action. Puisque c'est dans l'action que nous assumons notre potentiel créateur, nous apprenons alors à faire des choix qui nous font grandir. Cette puissance de diriger nos vols oniriques est le reflet de notre pouvoir de maîtriser notre vie d'éveil.

Par ailleurs, nous pouvons expérimenter à d'autres moments des rêves encore plus puissants en termes de ravissement. Nous en éprouvons alors un sentiment de pure allégresse. Ce sont les rêves d'extase.

Les rêves d'extase

Eh oui, l'âme est une entité heureuse. Nous sommes parfois portés à en douter peut-être, car le quotidien n'est pas toujours le reflet de cette réalité spirituelle. Pourtant, lorsqu'on observe la béatitude d'un jeune bébé, l'euphorie d'un couple d'amoureux ou la quiétude d'un vieillard serein, nous voyons dans leurs yeux cette étincelle de bonheur qui scintille avec grâce.

Malheureusement, le bonheur n'est pas un état permanent dans les mondes de matière, d'espace et de temps. Il va et il vient au gré des événements et des expériences. Aussi longtemps que nous habiterons dans un corps matériel, émotionnel et intellectuel, nous serons soumis aux limites de ces différents corps. Cependant, en tant qu'êtres spirituels, nous sommes en contact permanent avec la source pure du bonheur. Ces moments fugitifs d'allégresse nous rappellent notre nature divine.

Dès que nous nous identifions à nos véhicules physique, émotif et intellectuel, nous oublions notre véritable identité : celle de l'âme. Heureusement que nos expériences oniriques nous rappellent à l'ordre par les rêves d'extase.

Que ce soit un scénario d'amour, d'action ou d'observation, l'extase en rêve illumine notre conscience. Vivre un échange amoureux exceptionnel, écouter une musique sublime, ou admirer un décor envoûtant, sont autant de variantes à l'allégresse.

Dans le même ordre d'idées, la jouissance fait partie intégrante de notre vie. Le corps physique est une entité biologique qui revendique naturellement le plaisir. Le corps émotionnel a besoin de gaieté et le corps mental réclame ses joies intellectuelles. L'âme est une entité spirituelle qui recherche spontanément l'extase, car elle provient d'un monde de profonde béatitude. Ainsi nos rêves d'extase nous réconcilient avec le bonheur oublié, négligé ou nié.

En vérité, le plaisir que nous fuyons de jour nous rattrape la nuit. Il nous rappelle que le ravissement des sens, la volupté des sentiments et la jouissance du mental sont des droits légitimes et sains. Le rêve romantique, sensuel ou orgasmique nous surprend pour mieux nous éveiller. En acceptant le bien-être et les joies des rêves érotiques nous partons à la conquête du plaisir.[1]

Pauline écrit ses rêves depuis plusieurs années. Elle fait des postulats régulièrement et a essayé l'induction d'un rêve d'extase. Voici son expérience. Son postulat était le suivant : *« Cette nuit, je vis un rêve d'extase »*.

La jouissance sublime

Je marche seule dans la forêt. J'aperçois un petit sentier qui se hisse vers un promontoire. Je décide de l'escalader. Arrivée au bout du chemin après un long effort pour l'atteindre, je me repose en observant le paysage sublime qui se dévoile sous mes yeux. Je m'assois par terre puis, je ferme les yeux quelques instants.

1. Nicole Gratton, *Les Rêves érotiques*, Éditions internationales Alain Stanké, Montréal, 1997, 132 p.

Soudain, je sens une main caresser mes cheveux avec douceur et tendresse. Je n'ose pas bouger pour ne pas dissiper le charme de cette caresse exquise. La main descend dans mon dos. Des bras m'enlacent et je m'abandonne à leur étreinte qui éveille en moi un sentiment d'amour absolu. Le corps de la personne derrière moi se moule au mien. Je reçois avec bonheur cette énergie masculine qui m'habite déjà. Nos corps se fondent l'un dans l'autre. Il n'y plus de séparation, c'est l'unité. Je deviens lui, il est moi. C'est merveilleux. Nous sommes traversés par une vibration d'extase et je ressens un grand bonheur.

Sentiments finals : fusion et bonheur extrême

À son réveil, Pauline se sent comblée par les images oniriques et elle est heureuse d'avoir réussi à expérimenter un rêve d'extase. L'analyse de son rêve lui révèle aussi que son aspect masculin a bien fusionné avec sa partie féminine, ce qui lui apporte un profond sentiment d'unité.

Dans les rêves d'extase, nous expérimentons aussi l'amour à un degré plus subtil. Cette élévation de l'amour stimule l'ouverture des chakras supérieurs dont celui du cœur qui éveille la compassion et le don de soi. Cette noblesse des sentiments est nécessaire pour entrer en contact avec notre mission spirituelle. En mettant nos talents au service des autres, nous devenons des donneurs universels et l'amour est la condition préalable pour y accéder.

Comme on le perçoit ici, le plaisir, le bonheur et l'euphorie sont des composantes naturelles de notre nature humaine et divine. Ils nous charment et nous éblouissent pour allumer la passion de vivre.

Toute expérience laisse un peu de sagesse au fond de notre conscience. La vie est précieuse et chaque moment est un cadeau divin. À nous d'en profiter pour découvrir notre pouvoir divin.

Une démarche active

Si les rêves nous dévoilent peu à peu notre pouvoir divin grâce aux rêves d'envol et d'extase, nos expériences de jour peuvent aussi nous refléter ce pouvoir latent. C'est dans l'action que nous pourrons détecter notre potentiel illimité.

D'ailleurs, quand nous ne choisissons pas nous-mêmes le genre d'action que nous désirons accomplir pour découvrir nos forces, la vie s'en charge habituellement pour nous. Cependant, il est moins agréable de nous faire imposer une prise de conscience que de la provoquer par nous-mêmes, au moment où cela nous convient. Voilà pourquoi nous avons intérêt à choisir notre destinée, à relever les défis qui nous intéressent et à affronter les peurs qui nous tenaillent.

Dans le processus d'évolution, nous serons bien obligés tôt ou tard de comprendre que nous sommes plus qu'un corps physique qui vit des émotions et génère des pensées. Nous sommes une âme invincible, immortelle et illimitée.

C'est essentiellement en transcendant nos limites que nous pouvons détecter la force infinie qui nous habite. Dans une démarche active vers la réalisation de notre mission de vie, nous réalisons que les obstacles, les peurs et les résistances sont souvent illusoires. Si nous avançons sur la bonne trajectoire pour accomplir notre raison d'être, ces limites disparaissent comme par enchantement. Elles servaient de tests pour mesurer notre sincérité et notre engagement. Nos rêves de nuit peuvent être des déclencheurs d'action de jour.

De plus, une démarche active implique de poser des gestes ou de prononcer des paroles qui amènent de nouveaux développements susceptibles d'améliorer notre présent. Même si on ne peut pas tout prévoir, on peut du moins se dire que dans l'inconnu tout est possible!

Conclusion

Eh oui, la vie est un terrain d'entraînement privilégié pour apprendre à se connaître et à découvrir son potentiel divin. Sur les sentiers qui conduisent à la réalisation de soi, nous tentons d'accomplir notre mission personnelle. De nombreux moyens existent pour améliorer notre capacité à identifier notre raison d'être.

En plus de la méditation et de l'autoanalyse, nous avons aussi recours aux rêves pour bénéficier d'une perspective élargie qui éclaire notre vision de jour. Si certains éléments ont échappé à l'œil vigilant de notre conscience objective, la nuit nous restitue ces informations par le biais de notre conscience subjective. Des symboles personnels, des scénarios remplis d'émotions et des intuitions soudaines nous montrent la voie à suivre. Nous devons alors effectuer un travail d'interprétation pour récupérer l'information offerte par les scénarios oniriques.

La première étape, l'identification, présente des outils pour repérer dans nos rêves des éléments indicateurs. Parmi ceux-ci, le rêve bilan offre des indices précieux pour mesurer notre degré de satisfaction dans tous les domaines de notre vie, du matériel au spirituel. Les talents naturels et les habiletés acquises forment ensuite une trame de fond sur laquelle nous pouvons évaluer nos forces et nos faiblesses. Notre mission personnelle se précisera alors grâce aux trois composantes suivantes : une vision, une passion et un plan d'action.

Pour ce qui est de la deuxième étape, la vérification, elle permet de confirmer au fur et à mesure les choix personnels. Allons-nous dans la bonne direction? Investissons-nous nos énergies au bon endroit? Dans cette étape d'évaluation, des rêves informatifs nous donnent l'heure juste sur nos préoccupations du moment, notre niveau émotionnel et nos aptitudes intellectuelles. Les rêves d'enquête nous permettent d'explorer des zones cachées de notre individualité et des habiletés inconnues. Les rêves de dépassement nous laissent entrevoir nos capacités illimitées et notre pouvoir divin. Finalement, les rêves de victoire nous redonnent confiance en nos compétences individuelles et notre potentiel de réussite. Ils génèrent une force intérieure accrue.

En ce qui a trait à la troisième étape, la solidification, elle permet d'assurer une base solide sur laquelle bâtir notre plan de vie. Par les rêves de purification, nous éliminons les entraves qui empêchent la réalisation de notre destinée spirituelle. Par les rêves de révélation, nous recevons les semences créatrices pour mener à terme nos objectifs. Finalement, les rêves d'évolution assurent la transformation profonde qui conduit à l'action.

« Chacun de nous a reçu une mission ici-bas et celui qui parvient à en réaliser une partie aussi infime ou considérable soit-elle, est en effet béni de Dieu. »[1]

Quand nous connaissons notre raison d'être et que nous agissons en fonction de celle-ci, nous expérimentons l'exultation de notre esprit. La vie devient excitante et stimulante. Les défis attisent notre désir d'agir et les responsabilités nourrissent notre besoin d'aider et de servir. Nous devenons passionnés par ce que nous faisons, que ce soit au niveau personnel, familial ou social, dans nos loisirs ou dans notre travail.

Puisque la vie est un terrain d'entraînement idéal pour développer nos aptitudes et nos talents, mieux vaut l'aborder avec l'attitude du gagnant qui sait pourquoi il s'entraîne que celle du perdant qui ignore comment il en est arrivé là. En mettant tous

1. Paul Twitchell. *L'Étranger au bord de la rivière*. Minneapolis, Eckankar, 1996, p. 123.

nos efforts à déterminer la raison de notre présence ici, nous finissons par trouver le bonheur dans les petites actions de maintenant et les grandes réalisations de demain.

De plus, le chemin le plus direct vers notre mission personnelle dépend des choix justes et appropriés qui nous rapprochent de nos goûts personnels et de notre potentiel créatif. La voie directe n'exclut pas la discipline. Au contraire, elle l'exige car nous devons sans cesse demeurer alignés sur nos objectifs de base. En outre, cette orientation favorise l'éclosion de nos dons naturels. Il semble d'ailleurs que, pour la majorité des gens, ce soit vers l'âge de 40 ans que nous sommes le plus aptes à déployer nos talents et nos forces. Les étapes antérieures nous préparent à cette découverte précieuse.

Comme l'ignorance est souvent la cause des détours laborieux, des routes pénibles et des sentiers difficiles, l'éveil de la conscience demande par contre une vigilance accrue et la certitude que l'Univers nous guide sans cesse vers notre destination finale, celle de l'accomplissement de notre destin. Nous serons alors à l'écoute des signes, des coïncidences et des synchronicités qui nous ouvrent la voie. Un sentiment de plénitude en est l'indice le plus sûr.

Se développer individuellement et mettre nos talents personnels au service de la collectivité est le but ultime de toute vie. Nous contribuons ainsi à l'évolution de l'humanité tout en accédant à la réalisation de soi. Plus nos objectifs sont clairs et précis, plus la vie attire à nous les circonstances et les personnes qui peuvent collaborer à notre épanouissement. Par des rencontres imprévues, des lectures inspirantes ou des intuitions soudaines nous prenons conscience de nos aptitudes inexploitées et de nos capacités illimitées.

Car le passé représente le terrain sur lequel nous avons ensemencé le présent afin de récolter le futur. Notre éducation, nos croyances et nos conditionnements forment le sol plus ou moins fertile dans lequel nous déposerons les graines du bonheur. Chaque pensée du moment présent devient une semence qui a le potentiel de devenir l'arbre puissant de demain.

Cette âme que nous sommes se souvient des splendeurs des mondes intérieurs. Sa force réside dans la certitude que la vie est un cadeau précieux pour développer ses qualités intérieures afin de les exprimer dans sa vie extérieure. Grâce à l'intuition, elle nous transmet la connaissance de la voie directe si nous osons l'écouter bien sûr. La contrepartie de l'âme, l'ego, vit dans la peur et le doute. L'ego craint l'inconnu et recherche sans cesse la sécurité extérieure. Par ses faiblesses, il nous oblige à développer nos forces pour neutraliser l'inquiétude paralysante qui nous empêche d'avancer. Le courage et l'audace deviennent ainsi les conséquences de l'action. L'ego sous la maîtrise de l'âme devient un allié pour nous aguerrir afin de transformer notre nature humaine en essence spirituelle.

Enfin, notre mission personnelle s'associe à notre démarche de croissance pour nous permettre de vivre avec enthousiasme le quotidien. Une énergie croissante se dégage alors de nos actions et tout nous semble plus facile. En respectant nos habiletés naturelles, nos désirs profonds et nos choix authentiques nous pouvons découvrir l'originalité de notre plan de vie et finalement donner un sens à notre existence. Osons partir à sa découverte!

Bibliographie

CAMERON, Julia. *Libérez votre créativité*, St-Jean-de-Braye (France), Éditions Dangles, 1995, 310 pages.

CHOPRA, Deepak. *Les Sept lois spirituelles du succès*, Éditions du Rocher, Paris, 1994, 136 pages.

CHOPRA, Deepak. *La Voie du magicien*, Paris, Éditions Robert Laffont, 1997, 231 pages.

CŒLHO, Paolo. *L'Alchimiste*, Paris, Éditions Anne Carrière, 1994, 253 pages.

DYER, Wayne W. *Il faut le croire pour le voir*, Saint-Hubert (Québec), éditions Un monde différent, 1997, 284 pages.

FERGUSON, Marilyn. *La Révolution du cerveau*, France, Éditions Calmann-Levy, 1974, 372 pages.

FISHER, Marc. *Le Golfeur et le millionnaire*, Éditions Québec / Amérique, Montréal, 1996, 179 pages.

FLUCHAIRE, Pierre. *Les Secrets du sommeil de votre enfant*, Paris, Albin Michel, 1993, 277 pages.

GARFIELD, Patricia. *La Créativité onirique*, Paris, J'ai lu, 1983, 250 p.

GLADY, Gilbert. *Comprendre et retrouver le sommeil*, Colmar, Éditions S.A.E.P., 1998, 199 pages.

GRATTON, Nicole. *Mon journal de rêves*, Montréal, Éditions de l'Homme, 1998, 1999, 333 pages.

GRATTON, Nicole. *Les Rêves, messagers de la nuit*, Montréal, Éditions de l'Homme, 1998, 176 pages.

GRATTON, Nicole. *Les Rêves érotiques*, Montréal, Les Éditions internationales Alain Stanké, 1997, 132 pages.

GRATTON, Nicole. *Les Rêves spirituels*, Montréal, Les Éditions internationales Alain Stanké, 1996, 91 pages.

GRATTON, Nicole. *Rêves et Complices*, livre-cassette, Carignan, Éditions Coffragants, 1996, 52 pages.

GRATTON, Nicole. *L'Art de rêver*, Montréal, Les Éditions internationales Alain Stanké, 1994, 172 pages et Éditions J'ai lu, Paris, 1999, 190 pages.

JOUVET, Michel. *Le Sommeil et le rêve*, France, Éditions Odile Jacob, 1992, 220 pages.

KLEMP, Harold. *The Dream Master*, Minneapolis, Eckankar, 1993, 233 pages.

LABERGE, Stephen. *Le Rêve lucide*, Île Saint-Denis, Éditions Oniros, 1985, 311 pages.

NEWTON, Michael. *Un autre corps pour mon âme*, Montréal, Éditions de l'Homme, 1996, 302 pages.

RENARD, Hélène. *Les Rêves et l'au-delà*, Paris, Philippe Lebaud Éditeur, 1991, 256 pages.

RICHELIEU, Peter. *La Vie de l'âme pendant le sommeil*, Genève, Éditions Vivez Soleil, 1993, 240 pages.

RIEDEL, Christiane. *Rêves à vivre*, Boucherville, Éditions de Mortagne, 1995, 356 pages.

RYBACK, David. *Les Rêves prémonitoires*, Paris, Éditions Tchou, 1990, 250 pages.

SCHMIDT, O. *Le Secret du bonheur*, Paris, Éditions Astra, 1990, 222 pages.

SIMARD, Jean-Paul. *La Concentration créatrice*, Éditions de l'Homme, Montréal, 1998, 229 pages.

THURSTON, Mark. *L'Âme et son destin*, Boucherville, Éditions de Mortagne, 1994, 252 pages.

VON FRANZ, Marie-Louise. *Rêves d'hier et d'aujourd'hui*, Paris, Albin Michel, 1992, 203 pages.

WILLIAMSON, Marianne. *La Gloire d'une femme*, Éditions du Roseau, Montréal, 1995, 151 pages.

CHEZ LE MÊME ÉDITEUR:

Liste des livres en vente:

52 cartes d'affirmations, Catherine Ponder

52 étapes pour atteindre le succès, Napoleon Hill

52 façons de développer son estime personnelle et sa confiance en soi, Catherine E. Rollins

52 façons simples d'aider votre enfant à s'aimer et à avoir confiance en lui, Jan Lynette Dargatz

52 façons simples de dire «Je t'aime» à votre enfant, Jan Lynette Dargatz

1001 maximes de motivation, Sang H. Kim

Accomplissez des miracles, Napoleon Hill

Agenda du Succès (formats courant et de poche), éditions Un monde différent

Aidez les gens à devenir meilleurs, Alan Loy McGinnis

À la conquête du succès, Samuel A. Cypert

À la recherche d'un équilibre: une stratégie antistress, Lise Langevin Hogue

Ange de l'espoir (L'), Og Mandino

À propos de..., Manuel Hurtubise

Apprivoiser ses peurs, Agathe Bernier

Arrêtez d'avoir peur et croyez au succès!, Jean-Guy Leboeuf

Arrêtez la terre de tourner, je veux descendre!, Murray Banks

Ascension de l'empire Marriott (L'), J.W. Marriott et Kathi Ann Brown

Attirez la prospérité, Robert Griswold

Attitude d'un gagnant, Denis Waitley

Attitude gagnante: la clef de votre réussite personnelle (Une), John C. Maxwell

Attitudes pour être heureux, Robert H. Schuller

Au cas où vous croiriez être normal, Murray Banks

Bien vivre sa retraite: l'art de profiter de ses temps libres, et la vie affective et sexuelle à la retraite, Jean-Luc Falardeau et Denise Badeau

Bonheur et autres mystères (Le), Marc Fisher

Capitalisme avec compassion (Le), Rich DeVos

Cartes de motivation, Un monde différent

Ces forces en soi, Barbara Berger

Cœur à Cœur, l'audace de Vivre Grand, Thierry Schneider

Comment contrôler votre temps et votre vie, Alan Lakein

Comment réussir l'empowerment dans votre organisation? John P. Carlos, Alan Randolp et Ken Blanchard

Comment se fixer des buts et les atteindre, Jack E. Addington

Comment vaincre un complexe d'infériorité, Murray Banks

Comment vivre avec soi-même, Murray Banks

Communiquer: Un art qui s'apprend, Lise Langevin Hogue

Créé pour vivre, Colin Turner

Créez votre propre joie intérieure, Renee Hatfield

Dauphin, l'histoire d'un rêveur (Le), Sergio Bambaren

Débordez d'énergie au travail et à la maison, Nicole Fecteau-Demers

Découverte par le Rêve (La), Nicole Gratton

Découvrez le diamant brut en vous, Barry J. Farber

Découvrez votre mission personnelle par les signes de jour et par les rêves de nuit, Nicole Gratton

De l'échec au succès, Frank Bettger

De la part d'un ami, Anthony Robbins

Dépassement total, Zig Ziglar

Développez habilement vos relations humaines, Leslie T. Giblin

Développez votre confiance et votre puissance avec les gens, Leslie T. Giblin

Développez votre leadership, John C. Maxwell

Devenez la personne que vous rêvez d'être, Robert H. Schuller

Devenez une personne d'influence, John C. Maxwell et Jim Dornan

Devenir maître motivateur, Mark Victor Hansen et Joe Batten

Dites oui à votre potentiel, Skip Ross
Dix commandements pour une vie meilleure, Og Mandino
Échelons de la réussite (Les), Ralph Ransom
Elle et lui une union à protéger, Willard F. Harley
En route vers la qualité totale par l'excellence de soi, André Quéré
En route vers le succès, Rosaire Desrosby
Enthousiasme fait la différence (L'), Norman Vincent Peale
Entre deux vies, Joel L.Whitton et Joe Fisher
Envol du fabuleux voyage (L'), Louis A. Tartaglia
Esprit qui anime les gagnants (L'), Art Garner
Être à l'écoute de son guide intérieur, Lee Coit
Eurêka!, Colin Turner
Éveillez votre pouvoir intérieur, Rex Johnson et David Swindley
Évoluer vers le bonheur intérieur permanent, Nicole Pépin
Faites la paix avec vous-même, Ruth Fishel
Fonceur (Le), Peter B. Kyne
Gestion du temps (La), Danielle DeGarie
Hectares de diamants (Des), Russell H. Conwell
Homme est le reflet de ses pensées (L'), James Allen
Homme le plus riche de Babylone (L'), George S. Clason
Il faut le croire pour le voir, Wayne W. Dyer
Illusion de l'ego (L'), Chuck Okerstrom
Je vous défie!, William H. Danforth
Journal d'un homme à succès, Jim Paluch
Leader, avez-vous ce qu'il faut?, John C. Maxwell
Légende des manuscrits en or (La), Glenn Bland
Livre des secrets (Le), Robert J. Petro et Therese A. FInch
Livre d'or de l'optimiste (Le), parrainé par Véronique Cloutier
Livre d'or des relations humaines (Le), parrainé par Pierre Lalonde
Livre d'or du bonheur (Le), parrainé par Diane et Paolo Noël
Livre d'or du gagnant (Le), parrainé par Manuel Hurtubise
Lois dynamiques de la prospérité (Les), Catherine Ponder
Magie de penser succès (La), David J. Schwartz
Magie de s'autodiriger (La), David J. Schwartz
Magie de voir grand (La), David J. Schwartz
Maître (Le), Og Mandino
Maîtrisez vos comportements sans les faire subir aux autres, Robert A. Schuller
Marketing de réseaux, un mode de vie (Le), Janusz Szajna
Même les aigles ont besoin d'une poussée, David McNally
Mémorandum de Dieu (Le), Og Mandino
Mes valeurs, mon temps, ma vie!, Hyrum W. Smith
Moine qui vendit sa Ferrari (Le), Robin S. Sharma
Motivation par l'action (La), Jack Stanley
Napoleon Hill et l'attitude mentale positive, Michael J. Ritt
Naufrage intérieur, le vrai Titanic, Richard Durand
Objectif: Réussir sa vie et dans la vie!, Richard Durand
Oser... L'Amour dans tous ses états!, Pierrette Dotrice
Osez Gagner, Mark Victor Hansen et Jack Canfield
Ouverture du cœur (L'), Marc Fisher
Ouvrez votre esprit pour recevoir, Catherine Ponder
Ouvrez-vous à la prospérité, Catherine Ponder
Paradigmes (Les), Joel A. Baker
Pardon, guide pour la guérison de l'âme (Le), Marie-Lou et Claude
Parfum d'amour, Agathe Bernier
Pensée positive (La), Norman Vincent Peale
Pensez du bien de vous-même, Ruth Fishel
Pensez en gagnant!, Walter Doyle Staples
Pensez possibilités, Robert H. Schuller
Performance maximum, Zig Ziglar
Personnalité plus, Florence Littauer
Plus grand miracle du monde (Le), Og Mandino
Plus grand mystère du monde (Le), Og Mandino
Plus grand secret du monde (Le), Og Mandino
Plus grand succès du monde (Le), Og Mandino

Plus grand vendeur du monde (Le), Og Mandino
Pourquoi se contenter de la moyenne quand on peut exceller?, John L. Mason
Pouvoir de la pensée positive (Le), Eric Fellman
Pouvoir de la persuasion (Le), Napoleon Hill
Pouvoir de vendre (Le), José Silva et Ed Bernd fils
Pouvoir triomphant de l'amour (Le), Catherine Ponder
Prenez du temps pour vous-même, Ruth Fishel
Prenez rendez-vous avec vous-même, Ruth Fishel
Progresser à pas de géant, Anthony Robbins
Provoquez le leadership, John C. Maxwell
Puissance d'une vision (La), Kevin McCarthy
Quand on veut, on peut!, Norman Vincent Peale
Que faire en attendant le psy?, Murray Banks
Réincarnation: il faut s'informer (La), Joe Fisher
Relations humaines, secret de la réussite (Les), Elmer Wheeler
Rendez-vous au sommet, Zig Ziglar
Retour du chiffonnier (Le), Og Mandino
Réussir à tout prix, Elmer Wheeler
Réussir grâce à la confiance en soi, Beverly Nadler
Rêves d'amour, du romantisme à la sensualité dans les images de la nuit (Les), Nicole Gratton
Roue de la sagesse (La), Angelika Clubb
Route de la vie (La), Carolle Anne Dessureault
Sagesse du moine qui vendit sa Ferrari (La), Robin S. Sharma
S'aimer soi-même, Robert H. Schuller
Saisons du succès (Les), Denis Waitley
Sans peur et sans relâche, Joe Tye
Se connaître et mieux vivre, Monique Lussier
Secret d'un homme riche (Le), Ken Roberts
Secret d'une prospérité illimitée (Le), Catherine Ponder
Secret est dans le plaisir (Le), Marguerite Wolfe
Secrets de la confiance en soi (Les), Robert Anthony
Secrets de la vente professionnelle, Jean-Guy Leboeuf
Secrets d'une vie magique, Pat Williams
Semainier du Succès (Le), éditions Un monde différent ltée
S.O.S. à l'amour, Willard F. Harley, fils
Souriez à la vie, Zig Ziglar
Sports versus affaires, Don Shula et Ken Blanchard
Stratégies de prospérité, Jim Rohn
Stratégies pour communiquer efficacement, Vera N. Held
Stress: Lâchez prise! (Le), Guy Finley
Succès d'après la méthode de Glenn Bland (Le), Glenn Bland
Succès n'est pas le fruit du hasard (Le), Tommy Newberry
Télépsychique (La), Joseph Murphy
Tiger Woods: La griffe d'un champion, Earl Woods et Pete McDaniel
Tout est possible, Robert H. Schuller
Un, Richard Bach
Vaincre les obstacles de la vie, Gerry Robert
Vente: Étape par étape (La), Frank Bettger
Vente: Une excellente façon de s'enrichir (La), Joe Gandolfo
Vie est magnifique (La), Charlie «T.» Jones
Visez la victoire, Lanny Bassham
Vivre au cœur de la tornade, Diane Desaulniers et Esther Matte
Vivre Grand: développez votre confiance jusqu'à l'audace, Thierry Schneider
Votre droit absolu à la richesse, Joseph Murphy
Votre force intérieure = T.N.T, Claude M. Bristol et Harold Sherman
Votre liberté financière grâce au marketing par réseaux, André Blanchard
Vous êtes unique, ne devenez pas une copie!, John L. Mason

Liste des cassettes audio en vente:

Après la pluie, le beau temps!, Robert H. Schuller
Arrêtez d'avoir peur et croyez au succès!, Jean-Guy Leboeuf
Assurez-vous de gagner, Denis Waitley
Atteindre votre plein potentiel, Norman Vincent Peale
Attitude d'un gagnant, Denis Waitley
Comment attirer l'argent, Joseph Murphy
Comment contrôler votre temps et votre vie, Alan Lakein

Comment se fixer des buts et les atteindre, Jack E. Addington
Communiquer: Un art qui s'apprend, Lise Langevin Hogue
Créez l'abondance, Deepak Chopra
De l'échec au succès, Frank Bettger
Dites oui à votre potentiel, Skip Ross
Dix Commandements pour une vie meilleure, Og Mandino
Fortune à votre portée (La), Russell H. Conwell
Homme est le reflet de ses pensées (L'), James Allen
Intelligence émotionnelle (L'), Daniel Goleman
Je vous défie!, William H. Danforth
Lâchez prise!, Guy Finley
Lois dynamiques de la prospérité (Les), (2 parties) Catherine Ponder
Magie de croire (La), Claude M. Bristol
Magie de penser succès (La), David J. Schwartz
Magie de voir grand (La), David J. Schwartz
Maigrir par autosuggestion, Brigitte Thériault
Mémorandum de Dieu (Le), Og Mandino
Menez la parade!, John Haggai
Pensez en gagnant!, Walter Doyle Staples
Performance maximum, Zig Ziglar
Plus grand vendeur du monde (Le), (2 parties) Og Mandino
Pouvoir de l'optimisme (Le), Alan Loy McGinnis
Psychocybernétique (La), Maxwell Maltz
Puissance de votre subconscient (La), (2 parties) Joseph Murphy
Réfléchissez et devenez riche, Napoleon Hill
Rendez-vous au sommet, Zig Ziglar
Réussir grâce à la confiance en soi, Beverly Nadler
Secret de la vie plus facile (Le), Brigitte Thériault
Secrets pour conclure la vente (Les), Zig Ziglar
Se guérir soi-même, Brigitte Thériault
Sept Lois spirituelles du succès (Les), Deepak Chopra
Votre plus grand pouvoir, J. Martin Kohe